Cultivez votre plein potentiel

Catalogage avant publication de Bibliothèque et Archives nationales du Québec et Bibliothèque et Archives Canada

Montpetit, Pierre

    Cultivez votre plein potentiel

    2e édition.

    (Collection Développement personnel)

    ISBN 978-2-7640-2313-6

    1. Bonheur. 2. Changement (Psychologie). 3. Réalisation de soi. I. Titre. II. Collection: Collection Développement personnel (Éditions Québec-Livres).

BF575.H27M665 2014   152.4'2   C2014-940619-3

© 2014, Les Éditions Québec-Livres
pour la présente édition
Groupe Librex inc.
Une société de Québecor Média
1055, boul. René-Lévesque Est, bureau 201
Montréal (Québec) H2L 4S5
Tél. : 514 270-1746

Dépôt légal : 2014
Bibliothèque et Archives nationales du Québec

Pour en savoir davantage sur nos publications, visitez notre site : **www.quebec-livres.com**

Éditeur : Jacques Simard
Conception graphique : Sandra Laforest
Infographie : Claude Bergeron

Imprimé au Canada

DISTRIBUTEURS EXCLUSIFS :

• Pour le Canada et les États-Unis :
MESSAGERIES ADP*
2315, rue de la Province
Longueuil (Québec) J4G 1G4
Tél. : 450 640-1237
Télécopieur : 450 674-6237
* une division du Groupe Sogides inc.,
filiale du Groupe Livre Québecor Média inc.

• Pour la France et les autres pays :
INTERFORUM editis
Immeuble Paryseine, 3, Allée de la Seine
94854 Ivry CEDEX
Tél. : 33 (0) 4 49 59 11 56/91
Télécopieur : 33 (0) 1 49 59 11 33

Service commande France métropolitaine
Tél. : 33 (0) 2 38 32 71 00
Télécopieur : 33 (0) 2 38 32 71 28
Internet : www.interforum.fr

Service commandes Export – DOM-TOM
Télécopieur : 33 (0) 2 38 32 78 86
Internet : www.interforum.fr
Courriel : cdes-export@interforum.fr

• Pour la Suisse :
INTERFORUM editis SUISSE
Case postale 69 – CH 1701 Fribourg
– Suisse
Tél. : 41 (0) 26 460 80 60
Télécopieur : 41 (0) 26 460 80 68
Internet : www.interforumsuisse.ch
Courriel : office@interforumsuisse.ch

Distributeur : OLF S.A.
ZI. 3, Corminboeuf
Case postale 1061 – CH 1701 Fribourg
– Suisse

Commandes : Tél. : 41 (0) 26 467 53 33
Télécopieur : 41 (0) 26 467 54 66
Internet : www.olf.ch
Courriel : information@olf.ch

• Pour la Belgique et le Luxembourg :
INTERFORUM BENELUX S.A.
Fond Jean-Pâques, 6
B-1348 Louvain-La-Neuve
Tél. : 00 32 10 42 03 20
Télécopieur : 00 32 10 41 20 24

Gouvernement du Québec – Programme de crédit d'impôt pour l'édition de livres – Gestion SODEC.

L'Éditeur bénéficie du soutien de la Société de développement des entreprises culturelles du Québec pour son programme d'édition.

Nous reconnaissons l'aide financière du gouvernement du Canada par l'entremise du Fonds du livre du Canada pour nos activités d'édition.

Pierre
Montpetit

Cultivez votre plein potentiel

9 étapes faciles pour y arriver

2e édition

LES ÉDITIONS
Québec-Livres
Une société de Québecor Média

Introduction

Conférencier et formateur depuis plus de vingt-cinq ans, j'ai rencontré des milliers de personnes, et les questions qui reviennent le plus souvent sont : le bonheur existe-t-il ? Est-il possible de vivre heureux sur cette terre ? Comment faire pour être bien avec soi-même ? Comment atteindre la paix intérieure ?

> LE BONHEUR N'EST PAS UNE DESTINATION, IL SE TROUVE SUR LE CHEMIN QUE L'ON CHOISIT DE SUIVRE TOUS LES JOURS.

En me basant sur mon expérience et sur celle des milliers de personnes que j'ai rencontrées dans ma vie, je peux vous confirmer que oui, il est possible d'atteindre ses objectifs et d'être heureux. Mais pour cela, il faut apprendre certaines choses, il faut se donner le droit de changer de comportement et il faut accepter de se remettre en question.

Au Québec, il y a un adage qui dit :

> LES GENS HEUREUX N'ONT PAS D'HISTOIRE.

C'est faux. Les gens heureux ont une histoire. Le problème, c'est que les gens malheureux – souvent nous-mêmes – ne veulent pas la connaître ; ils préfèrent les histoires de défaite et de malheur à celles qui sont heureuses.

Par exemple, entre ces deux événements : 1. quelqu'un a sauvé la vie d'une personne ; 2. un individu a passé sa belle-mère dans le moulin à viande, lequel risque de se retrouver à la une des journaux, croyez-vous ? Celle de la pauvre femme, évidemment ! Remarquez que cela peut être positif pour certains... Mais il est évident que la mauvaise nouvelle prime toujours sur la bonne.

Un journaliste disait dernièrement : « Le bonheur, ça se vend mal ! » Il est vraiment triste d'entendre de tels propos. Triste, mais vrai. Ça fait partie de notre réalité.

L'autre jour, j'écoutais la radio. Dans une tribune téléphonique, les gens parlaient d'une tragédie qui était survenue la veille : une femme avait tué ses enfants et avait tenté de se suicider par la suite. Les auditeurs demandaient des détails sur la façon dont les meurtres avaient été perpétrés plutôt que de s'attrister de ce qui s'était passé.

Personnellement, je me fous de la manière dont elle a commis ces atrocités. Le savoir ne m'aidera pas à atteindre le bonheur. J'aimerais mieux entendre l'histoire de deux personnes qui sont en couple depuis plusieurs années et savoir comment elles font pour vivre encore en harmonie. Les couples heureux existent, croyez-moi.

C'est la raison pour laquelle j'ai décidé d'écrire ce livre. Il est basé sur ma conférence *Les gens heureux ont une histoire*. Je souhaite donner aux lecteurs des idées sur ce que font les gens heureux qui vivent dans notre société, car je trouve qu'ils ne sont pas très présents dans les médias.

Comment lire ce livre

C'est simple comme bonjour : soit vous le lisez d'un couvert à l'autre et, après y avoir pensé un peu, vous le reprenez et vous faites les exercices que je vous suggère ; soit vous le lisez pas à pas en prenant le temps chaque fois de faire les exercices avant de passer à l'étape suivante. Les deux méthodes sont efficaces. La seule chose que j'aimerais vous rappeler, c'est que vous avez avantage à faire les exercices. Pourquoi ? C'est un peu comme à l'école : quand on faisait les devoirs du soir, la matière entrait dans nos cerveaux... À long terme, c'est vraiment utile. Pensez-y, le bonheur est à portée de main. Et rappelez-vous :

> **IL N'EXISTE AUCUN CONFORT SANS EFFORT.**

Bonne rélexion !

Soyez ouvert d'esprit

J'entends souvent les gens dire, et je l'ai fait moi-même : « Je le sais », avant même d'avoir pris le temps d'entendre en entier ce que l'autre essayait de me transmettre. Quand je réponds trop vite, c'est le signe que je n'ai aucune ouverture d'esprit, que je n'ai pas du tout l'intention d'écouter ce que vous affirmez, que je ne ferai aucun effort pour tenter de voir s'il y a quelque chose de bon pour moi dans ce que vous me proposez. Je crois que les gens heureux ont cette capacité de percevoir les occasions et de ne pas laisser de côté ce qui est valable chez les personnes qu'ils rencontrent ou dans les événements auxquels ils font face.

Saisissez les occasions

Cette situation me rappelle l'histoire d'un homme qui fait une demande d'emploi comme balayeur chez Microsoft. Après avoir passé plusieurs entrevues, il obtient finalement le poste.

Le chef des ressources humaines lui demande son adresse courriel afin de lui transmettre toutes les informations relatives à son travail. Le candidat répond : « Je n'ai pas d'adresse courriel. » Le responsable lui dit : « Étant donné que vous n'avez pas d'adresse courriel, vous n'existez pas virtuellement. Dans ce cas, je ne peux pas vous embaucher.»

Finalement, le gars n'obtient pas l'emploi. Déçu, il retourne à pied chez lui. Chemin faisant, il passe devant un comptoir de fruits et légumes. Ayant un peu d'argent dans ses poches, il décide d'acheter quelques articles et de les vendre de porte en porte pendant qu'il se rend à la maison.

Arrivé chez lui, il réalise qu'il a tout vendu et qu'il a réalisé un profit. Il se dit: «Demain, je vais commencer ma journée plus tôt et je vais donc vendre encore plus de produits.»

Tous les jours, il répète le même stratagème. Après quelque temps, il peut s'acheter un premier camion, puis un deuxième... C'est ainsi qu'il devient le troisième distributeur de fruits et légumes en importance dans le nord-est des États-Unis.

Pour assurer la sécurité de sa famille, il prend rendez-vous avec un conseiller financier. Il veut faire une bonne planification. À la fin de la rencontre, le planificateur demande à son nouveau client son adresse courriel pour lui confirmer ce qu'ils viennent de se dire. Et l'homme de répondre: «Je n'ai pas d'adresse courriel.»

Très surpris, le conseiller lui dit: «Mais, monsieur, vous avez une entreprise florissante, des camions qui parcourent le pays entier, des centaines d'employés, et vous me dites que vous n'avez pas d'adresse courriel! Savez-vous où vous en seriez si vous aviez une adresse courriel?» L'homme répond: «Oui, je serais balayeur chez Microsoft.»

Voilà ce que j'appelle avoir un esprit ouvert. Imaginez que je suis devant vous et que je vous lance des billets de banque; si vous avez les mains fermées, vous n'en attraperez aucun.

Par contre, si vous ouvrez les mains, vous risquez d'en saisir quelques-uns.

> **LE PARTAGE D'UNE IDÉE N'APPAUVRIT JAMAIS CELUI QUI LA DONNE, MAIS IL ENRICHIT TOUJOURS CELUI QUI LA REÇOIT!**

Je vous suggère de lire cet ouvrage en ayant l'esprit ouvert. De cette façon, vous y trouverez une idée ou un principe qui vous aidera à être heureux plus souvent et plus longtemps.

Adaptez-vous aux changements

Quand je parle d'avoir un esprit ouvert, cela veut également dire posséder la capacité de s'adapter aux changements. Vous réalisez sûrement que tout change autour de nous à grande vitesse. L'économie mondiale, les rôles de nos gouvernements, la technologie, les nouveaux produits et services, tout cela envahit nos vies.

Pour voir à quel point tout change, retournons un peu en arrière. En 1951, on a annoncé aux gens que bientôt ils auraient la possibilité d'avoir dans leur salon une boîte de bois dans laquelle ils verraient des personnes bouger... À l'époque, mon grand-père disait: «Ils sont malades! Comment est-ce qu'ils vont faire pour mettre du monde dans une boîte de bois dans le salon chez nous? Ça ne fonctionnera jamais, cette idée!»

Pourtant, aujourd'hui, nommez-moi quelqu'un qui n'a pas un ou deux téléviseurs chez lui. À l'époque, lorsque les gens regardaient la télévision, ils s'habillaient comme s'ils devaient sortir, car ils croyaient que les personnages pouvaient les voir à travers l'écran.

En 1972, lors d'une réunion, des directeurs de caisses populaires se font annoncer que d'ici quelque temps, les membres de leurs institutions recevront une carte en plastique avec laquelle ils pourront faire des transactions ; ils retireront de l'argent et paieront leurs comptes dans des machines installées aux coins des rues et à l'entrée des caisses.

Tous ont réagi en disant : « Ça ne fonctionnera jamais ! Personne ne va accepter de se promener avec des cartes en plastique au lieu d'avoir de l'argent liquide en poche. » Pourtant, qui parmi vous n'a pas fait d'achats aujourd'hui en utilisant sa carte de guichet automatique.

Prenons un autre exemple de changement. Coucher un enfant aujourd'hui, c'est très compliqué. Ça prend un appareil dans la chambre pour entendre le moindre son émis et pour s'assurer qu'il dort bien. Il existe également des caméras vidéo avec lesquelles on peut filmer le petit durant la nuit pour s'assurer de son sommeil. Le soir, de nos jours, les couples s'installent devant leur téléviseur pour écouter et regarder bébé dormir ! J'exagère à peine. On vend également une espèce de membrane qu'on peut placer sous l'enfant ; si jamais il cesse de respirer, un signal se fait entendre qui avertit les parents.

Quand j'étais tout petit, j'avais moi aussi une « membrane » sous mon drap. On s'en servait comme alarme lorsque je faisais pipi au lit ; un choc électrique me réveillait afin que je puisse vite me rendre à la salle de bain. Quelqu'un qui utiliserait ce dispositif aujourd'hui aurait la DPJ sur le dos ! Comme quoi les temps changent.

Il y a quarante ans, quand on couchait un enfant dans son petit lit, on le plaçait sur le ventre. Sur le dos, on craignait qu'il s'étouffe en régurgitant. Aujourd'hui, on l'installe sur le dos, car sur le ventre, c'est très dangereux ! Vous rappelez-vous l'époque où on plaçait les bébés sur le côté? On les tourne et on les retourne; en tout, ça fait 360 degrés! Bientôt, on va les coucher debout dans le coin, comme Popa et Moman dans *La p'tite vie.*

Souvenez-vous lorsque vous alliez faire un tour d'auto avec votre père. Ce n'était pas compliqué: on s'assoyait sur ses genoux, lui avait sa bière entre les jambes. Nous, on conduisait la voiture alors qu'on avait cinq ou six ans.

De nos jours, c'est plus compliqué. Il est interdit d'asseoir un enfant de cinq ans dans une voiture ailleurs que dans son siège. L'autre jour, j'appelle ma fille. Je voulais l'emmener manger au restaurant avec ma petite-fille. Elle me dit que ce n'est pas possible, car elle n'a pas le siège de la petite. Je lui lance alors: «Ce n'est pas grave, tu pourras l'asseoir sur tes genoux, on s'en va simplement au coin de la rue.» Elle a refusé catégoriquement: ça prenait le siège de l'enfant.

Tout change autour de nous, et j'ai pu observer que les gens heureux sont capables de s'adapter. Ils arrivent à sortir de leur zone de confort, de leur petite case.

Apprenez à remettre vos habitudes en question

Pour la majorité des individus, remettre en question ses habitudes n'est pas facile. Regardez comment les gens vivent autour de vous. Le mardi soir, c'est le pâté chinois; le jeudi soir, c'est l'épicerie; le samedi soir, à 21 h 30, ils font l'amour... entre la deuxième et la troisième période de hockey! Ils ont souvent de la difficulté à revoir leurs façons de faire.

Ça me rappelle l'histoire d'un homme. Un matin, sa femme lui demande de se rendre à l'épicerie pour acheter une fesse de jambon. Il y va et revient avec la pièce de viande. Lorsque son épouse ouvre le paquet, elle se rend compte de son oubli:

«Tu n'as pas fait couper l'os au bout de la fesse de jambon!» Son mari lui demande: «Pourquoi est-ce qu'il faut couper l'os?» Sa femme lui répond: «Lorsque j'étais petite, ma mère faisait toujours couper l'os.» Il lui demande pourquoi et elle a cette réponse: «Je n'en ai aucune idée.» L'homme décide donc de téléphoner à sa belle-mère pour en connaître la raison. Lorsqu'il lui pose la question, elle répond: «Lorsque j'étais enfant, ma mère le faisait.» Il lui demande: «Pourquoi faisait-elle cela?» Elle avoue: «Je n'en ai aucune idée.» L'homme décide donc d'aller au bout des choses: il va interroger la grand-mère. Celle-ci lui explique: «J'enlevais l'os parce que ma rôtissoire était trop petite!»

Combien de gens agissent de la même façon. Ils font des choses sans trop savoir pourquoi.

Dernièrement, je me suis arrêté dans un Tim Horton pour acheter un café et un muffin. Au moment où j'ai passé ma commande, j'ai remarqué que la personne qui me servait a pris dans une main un sac et, dans l'autre, un papier ciré avec lequel elle a saisi le muffin dans le présentoir. Une fois le petit gâteau dans le sac, elle y a laissé le papier ciré, a fermé le contenant et me l'a remis, avec le café que j'avais commandé.

Une fois le tout terminé, je lui ai demandé: «Pourquoi utilisez-vous un papier ciré pour prendre les muffins dans le présentoir?» Elle m'a répondu: «C'est une question de propreté. Je ne veux pas que les microbes de mes mains se retrouvent sur votre muffin.» Je lui ai alors répliqué: «Pourquoi laissez-vous le papier que vous avez utilisé dans le sac? Si les microbes de votre main sont sur celui-ci, vous laissez donc les microbes dans le contenant.» Elle m'a alors répondu: «Ça fait six mois que je travaille ici, et on m'a demandé de faire cela de cette façon.»

Combien de gens font des choses sans se poser cette question : « Pourquoi est-ce que je fais toujours cela de cette façon ? »

Changez vos habitudes

J'ai eu la chance de faire de la motocyclette pendant plusieurs années. Un jeudi matin ensoleillé, mon ami Pierre me téléphone pour me proposer d'aller en randonnée. J'accepte sur-le-champ. On se donne rendez-vous une heure plus tard. Il me mentionne alors qu'il va également téléphoner à un de ses copains pour lui proposer de nous accompagner.

J'arrive à notre lieu de rendez-vous et je note que Pierre est seul. Je lui demande où est son ami. Il me dit qu'il ne pouvait pas venir, car il fait toujours l'épicerie le jeudi. Je lui dis : « Mais il est à la retraite, il peut faire l'épicerie le vendredi. » Il me répond : « Non, car le vendredi, c'est le ménage de la maison. »

Cela est le parfait exemple de gens qui préfèrent rester dans leur petite case et qui sont incapables de profiter de la chance qui passe.

Un jour, j'étais en visite chez des gens qui avaient un petit garçon de trois ans. Il s'amusait dans le salon pendant qu'on discutait de choses et d'autres. À un certain moment, le père me dit : « Excuse-moi, je dois aller coucher le petit ! » Je lui demande des explications : « Il n'est pas tannant ; il s'amuse avec ses jouets et on ne l'entend pas. » Il me dit : « Oui, mais il est 19 h. On le couche toujours à cette heure-là. » Je lui demande la raison de cette décision. « Ça a toujours été à 19 h. À trois ans, on dit que c'est la bonne heure. » Je lui réplique : « Mais qui a dit cela ? Qui a décidé qu'un enfant de trois ans doit se coucher à 19 h et qu'à 7 ans c'est à 20 h 30 ? »

On fait les choses par habitude, sans prendre le temps de se poser des questions sur ce qu'on pense vraiment.

Donnez-vous la chance d'évoluer

Les gens qui vivent un bien-être dans leur vie ont cette capacité de remettre en question leurs façons de faire et de s'adapter aux changements auxquels ils font face. D'ailleurs, c'est souvent ce qu'on attend des personnes autour de nous. On voudrait qu'elles changent. Ceux d'entre vous qui ont des enfants le savent. N'est-ce pas ce que vous attendez d'eux : qu'ils changent, qu'ils évoluent, qu'ils deviennent des adultes responsables ? Et vous, les plus jeunes, c'est sûrement ce que vous espérez de vos parents : qu'ils changent, qu'ils s'adaptent à la réalité d'aujourd'hui.

Je me souviens d'un exemple donné par Jean-Marc Chaput, le conférencier. Imaginez votre enfant qui, pour la première fois de sa vie, va marcher seul. Il s'apprête à passer entre la cuisinière et le réfrigérateur. Qu'allez-vous dire et faire ?

Vous serez excité, vous direz à votre conjointe : « Mon amour, viens vite voir le p'tit, il va passer entre le poêle et le frigo. Apporte la caméra vidéo pour que l'on puisse garder ce souvenir à perpétuité. » Vous allez téléphoner à votre belle-mère pour lui dire que votre enfant a marché tout seul entre le poêle et le frigo. Vous allez télécharger la vidéo sur You Tube pour vous assurer que le monde entier puisse le voir marcher seul entre le poêle et le frigo. Vous vivrez alors un moment de grand enthousiasme parce que votre petit a fait quelques pas. Mais si, à 17 ans, il est toujours entre le poêle et le frigo, vous allez vous poser des questions, parce que vous vous attendez à ce qu'il soit rendu plus loin dans sa vie. Mais ne vous en faites pas, à cet âge il ne sera plus entre le poêle et le frigo, mais plutôt *dans* le frigo !

Tout cela pour vous dire qu'on s'attend à ce que les gens autour de nous se dépassent et qu'ils aillent plus loin dans leur vie. Mais est-ce que nous agissons nous-mêmes dans ce sens-là?

Je me souviens de l'histoire d'un skieur du nom de Jean-Claude Killy. En 1968, il se préparait aux compétitions des Jeux olympiques. À cette époque, il était le champion du monde, au sommet de sa carrière et de son sport. Il voulait absolument remporter l'or. Il décide donc de s'entraîner plus que n'importe qui. Il fait plusieurs dizaines de descentes par jour, jusqu'au moment où il réalise que tous les autres compétiteurs travaillent autant que lui et qu'ils utilisent la même technique.

Il prend alors la décision de changer sa technique. Ceux qui pratiquaient ce sport à ce moment se souviendront que lorsque nous dévalions les pentes, nous le faisions les jambes collées ensemble; on disait que c'était plus élégant. Killy fait le choix de les écarter un peu, ce qui lui donne davantage d'équilibre; il croit que ça lui fera prendre plus de vitesse.

Il comprend que c'est dans les courbes qu'il en perd beaucoup. Il s'assoit donc un peu sur ces skis, ce qui lui donne un centre d'équilibre encore plus bas. Il considère qu'il aura alors un meilleur contrôle et qu'il pourra prendre encore plus de vitesse. Il utilise ses bâtons pour se pousser vers l'avant au lieu de s'en servir pour faire des transferts de poids, qu'il fait plutôt à l'aide de ses genoux et de ses chevilles. En bref, il repense complètement sa technique. Et, aux Jeux olympiques de 1968, il gagne trois médailles d'or en ski, un exploit qui n'avait été accompli que par Toni Sailer.

Même s'il était champion du monde, Jean-Claude Killy n'a pas eu peur de remettre en question sa façon de faire pour améliorer ses résultats.

Les gens heureux, ceux qui réussissent leur vie et accomplissent de grandes choses, sont ceux qui ont cette capacité de sortir des sentiers battus et d'aller vers de nouveaux horizons.

> **L'HOMME NE PEUT PAS DÉCOUVRIR DE NOUVEAUX OCÉANS À MOINS QU'IL N'AIT LE COURAGE DE PERDRE LE RIVAGE DE VUE.**

 ## Quelques questions à vous poser

L'adaptation

Quels sont les changements importants que vous avez eu à vivre dans les deux dernières années? Si vous devez reculer un peu plus loin dans le temps, faites-le. Posez-vous les questions suivantes:

- Ai-je changé d'emploi dernièrement?
- Ai-je subi des pertes ou vécu des échecs du côté de mon emploi (moins d'heures de contrat, par exemple, ou une mauvaise évaluation)?
- Ai-je pris ma retraite dernièrement?
- Ai-je de nouveaux collègues de travail ou un nouveau patron?
- Ai-je perdu une personne chère?
- Ai-je vécu une séparation?
- Ai-je fait une nouvelle rencontre?
- Suis-je en couple depuis peu de temps?
- Ai-je eu des difficultés dans ma vie de couple?
- Mes enfants ont-ils quitté la maison pour s'installer dans leur chez-soi?

- Ai-je des problèmes de santé ?

- Est-ce que j'habite avec une personne qui a des ennuis de santé ?

- Ai-je déménagé ?

- Quel est le changement le plus important que j'ai vécu ces derniers mois ?

Prenez le temps de penser à un changement que vous avez vécu. Voyez de quelle façon vous l'avez finalement accepté.

L'ouverture d'esprit

Pensez à une personne avec qui vous êtes en conflit ou que vous avez tendance à trouver stupide. Je suis certain que vous êtes capable d'en trouver une ! Maintenant, repensez à une conversation que vous avez eue avec elle et demandez-vous :

- Est-ce que j'étais ouvert d'esprit ou est-ce que je me disais en moi-même : « Bof ! Ce qu'elle va me dire est stupide, je le sais d'avance » ?

- Lui ai-je donné la chance d'être elle-même et peut-être moins stupide que je le pensais ? Me suis-je donné la chance de vivre au moment présent de sorte que je ne préjugeais pas de la personne avec qui je parlais ?

● ●

Exercices
Un tout petit changement d'habitude

Pour vous exercer à changer, ce n'est pas nécessaire de faire des actions draconiennes. Vous pouvez changer une toute petite habitude. Par exemple, quand vous allez travailler le matin, ou à votre retour en fin de journée, modifiez simplement un petit peu votre chemin. De même, si vous avez l'habitude de ne pas manger de très bonnes choses pour votre santé, adoptez une seule meilleure habitude : manger un fruit de plus par jour, puis deux.

Pensez à un tout petit changement qui pourrait améliorer votre vie et appliquez-le.

● ●

Une activité qui sort de l'ordinaire

Pensez à une habitude que vous avez durant la semaine. Par exemple, peut-être que vous faites toujours vos courses le même jour à la même heure, que tous les dimanches après-midi vous exercez la même activité. Faites le choix d'en changer pour une fois. Je le répète, il n'est pas néces-saire de bousculer toute votre vie, mais seulement de voir que vous n'êtes pas obligé de toujours répéter la même chose, le même jour, à la même heure...

● ●

Vos attitudes = vos résultats !

On parle souvent de changement. Le plus souvent, il est question de changer de meubles, d'emploi, d'habitudes, de déménager, de transformer sa vie. Mais, selon vous, quelle est la première chose qu'on devrait modifier dans son existence ? Personnellement, je crois que c'est notre attitude.

Tous, nous avons déjà entendu dire : «Change ton attitude. Essaie d'avoir une meilleure attitude. Si tu as une bonne attitude, tu guériras plus vite...» Mais qu'est-ce au juste qu'une attitude ? C'est une disposition, un état d'esprit face à quelqu'un ou à quelque chose. En fait, c'est une façon de penser, de réagir devant une situation.

Observez les faits,
prenez le temps de vous questionner

Le 9 décembre 2008, tous les médias nous ont annoncé et répété une nouvelle importante : le Canada était en récession. Je ne sais pas ce qui s'est passé dans la nuit précédente, mais le 9 au matin, nous étions en crise.

Cela me fait penser aux dates de péremption que l'on retrouve sur certains articles. On indique qu'un produit est meilleur avant le 23 mars, par exemple. Avez-vous remarqué ce que l'on fait avec ce dernier le 24 au matin? Bien des gens le jettent aux ordures sans se poser de questions. Ils n'osent même pas y goûter, ils n'ouvrent même pas le contenant. Que s'est-il passé dans la nuit du 23 au 24 mars? Personne n'en a aucune idée. Nous tenons tout de même pour acquis que l'aliment n'est plus mangeable ce matin-là. Eh bien, c'est exactement ce que des milliers de personnes ont fait le 9 décembre au matin: elles ont cru les médias et sont tombées dans un état de récession, sans que quoi que ce soit ait changé dans leur vie. Elles ne se sont pas posé la question suivante: «Mais qu'est-ce qu'une récession?»

Au début de chaque mois, j'envoie par courriel aux gens qui le désirent une pensée positive. En janvier 2009, elle était accompagnée de mes bons vœux pour l'année qui commençait. Je souhaitais à chacun une année exceptionnelle. Certaines personnes m'ont réécrit pour me dire: «Vous ne lisez donc pas les journaux? On nous annonce la pire année depuis des décennies. Comment pouvez-vous nous souhaiter une année exceptionnelle? Gardez les deux pieds sur terre! Soyez réaliste!»

Je me suis remis en question: «Je suis peut-être trop optimiste, ils ont peut être raison.» J'ai donc pris soin de voir dans le dictionnaire la définition du mot «récession» pour mieux comprendre ce qui se passait. Selon *Le Petit Larousse*, ce mot veut dire: «Ralentissement du rythme de croissance de l'activité économique.»

Voyons le premier mot: ralentissement. On ne dit pas que tout va mourir, que tout s'arrête complètement; on dit qu'il y a un *ralentissement*.

Voyons le deuxième mot: rythme. Rythme veut dire mouvement régulier, périodique, cadencé; donc il y aura du mouvement dans notre économie. De plus, ce mouvement sera en croissance. Eh oui, il y aura *ralentissement du rythme de croissance.*

Rappelez-vous que toute crise possède un potentiel positif

Dans toute période de crise, il y a des chances à saisir. Patrick Pichette de Google disait : « Une crise est une "opportunité" qui est trop bonne pour la laisser passer. »

Lorsqu'il y a crise, ai-je la réaction de me demander où sont mes chances de réussite ou d'avancement, ou ai-je plutôt tendance à voir les impossibilités, les blocages ou les pertes que je subis dans ma vie ? Posez-vous la question.

Dans toute période de crise, on trouve des occasions à saisir. Au début de 2009, plusieurs personnes ont comparé l'année à venir à celle de 1929. Je ne me souviens pas de cette dernière, mais lorsqu'on se penche sur cette période, on ne peut pas faire autrement que de voir qu'il y a eu aussi de belles choses, pas seulement des difficultés. La compagnie Greyhound a été fondée en 1929 par George Fay et Speed Olson. Réalisez-vous qu'en période de dépression la majorité des gens ne voyagent pas ? Ils conservent leur argent pour des choses plus essentielles. Eh bien, les fondateurs de cette entreprise ne le savaient probablement pas, car ils l'ont mise sur pied cette année-là, avec quatre autobus et quelques véhicules à sept passagers. En 2004, ils célébraient leur soixante-quinzième anniversaire de fondation.

Plus près de nous, Les Tourbières Lambert ont commencé leurs activités à la fin de 1928. Vous rendez-vous compte qu'en période de dépression ce n'est pas le moment de faire des aménagements paysagers et de dépenser de l'argent pour avoir un plus beau gazon ou de plus belles fleurs ? Eh bien, aujourd'hui, Les Tourbières Lambert sont parmi les producteurs majeurs de tourbe de sphaigne et de mélanges horticoles en Amérique du Nord.

L'année 1973 fut très difficile économiquement : c'était la crise du pétrole. Pourtant, la compagnie Fedex a créé le service de livraison par avion cette année-là ; il s'agissait de faire la livraison de colis par avion pour le lendemain.

Le 23 octobre 2000, en pleine crise des technologies, la compagnie Apple a mis le iPod sur le marché.

En janvier 2009, un de mes amis a décidé de construire des triplex à Laval, au Québec. Tout le monde le traitait de fou de se lancer dans un tel projet durant une période économique si incertaine. À la fin novembre de la même année, les trois quarts de ses condos étaient vendus.

Durant chaque période difficile, des gens ont cette capacité de saisir les occasions qui se présentent, mais pour faire cela, il faut absolument avoir une attitude positive et oser agir.

Passez à l'action !

Retournons à notre définition de « récession » ; les derniers mots sont « activité économique ». « Activité » a la même étymologie que le mot « action ». En période de crise, on doit passer à l'action.

> **LES GAGNANTS PASSENT À L'ACTION, LES PERDANTS Y PENSENT.**

À l'automne 2003, j'ai eu le bonheur d'acheter mon premier bateau à moteur, un Carver 3207, à Saint-Paul-de-l'Île-aux-Noix, au Québec. Bien entendu, pendant l'hiver suivant, j'ai pris des cours de navigation pour obtenir mon permis de conducteur d'embarcations de plaisance afin d'être un bon capitaine. Dans cette formation, malheureusement, on nous expliquait comment lire les cartes marines, à quoi servent les bouées que l'on croise, mais on nous parlait peu de la façon de conduire un bateau.

En mai 2004, je devais déplacer mon embarcation de son point d'origine à la marina de Pointe-aux-Anglais, sur le lac des Deux-Montagnes. N'ayant aucune expérience de navigation, j'ai demandé à mon ami Jacques et à sa femme, Ghyslaine, qui naviguent depuis plusieurs années, de nous accompagner, ma conjointe et moi, pour amener le bateau à bon port.

Nous avons quitté la marina Gagnon, à Saint-Paul-de-l'Île-aux-Noix, le samedi 22 mai 2004. Puis nous avons navigué sur le Richelieu pour nous rendre à Sorel. Une fois arrivés à Saint-Jean-sur-Richelieu, nous avons décidé d'y passer la nuit, étant donné que nous devions traverser plusieurs écluses avant d'arriver à destination.

Le lendemain matin, nous avons affronté des vents très forts. La météo annonçait même un avertissement pour les petites embarcations. Cela voulait dire en clair : « Ne naviguez pas aujourd'hui, surtout si vous n'avez pas d'expérience. »

Étant donné que mon bateau est assez massif – il mesure environ 10 mètres et possède deux étages (*flying bridge*) –, le vent peut le faire dériver facilement. Lorsque nous quittions chacune des écluses, les éclusiers nous avisaient de ce danger. Au bout du Richelieu, nous sommes entrés dans le fleuve Saint-Laurent. Ceux qui ont déjà navigué sur ce cours d'eau savent qu'il y a un fort courant naturel. Avec les vents, nous devions affronter des vagues de deux à trois mètres. D'ailleurs, c'est la seule fois que les amateurs ont pu faire du surf sur le fleuve.

Au moment d'entrer dans le Saint-Laurent, j'étais à la barre du bateau. Lorsque je me suis retrouvé dans ces vagues, mon premier réflexe a été de couper les moteurs pour prévenir les dégâts. C'est là que mon ami Jacques m'a dit : « Pierre, si tu ne veux pas avoir de problèmes, ouvre les gaz et nous allons surfer sur le dos de la vague ; sinon, on va se faire brasser, tu n'en reviendras pas. » Nous avons donc mis les gaz à 3500 tours et nous nous sommes rendus à destination sans difficulté.

Cette expérience m'a confirmé que lorsqu'on est en eaux troubles, en période difficile, il faut ouvrir les gaz et passer à l'action !

Changez d'attitude, vous changerez de résultat

Souvent, lorsque les gens se trouvent dans une période difficile, ils se demandent pourquoi tout cela leur arrive, à eux ! Et ils restent passifs. Durant une période de ma vie où je vivais une rupture amoureuse, j'ai utilisé exactement la même phrase : « Pourquoi est-ce que ça m'arrive à moi ? » Un de mes amis m'a alors dit : « Pose-toi plutôt la question : pourquoi pas ? » En fait, ce qu'il voulait me faire découvrir, c'est ce qu'il y avait de positif dans cette situation et quelle action j'allais poser pour aller de l'avant.

Mon attitude est donc ma façon de réagir à une situation qui provient de ma façon de penser. D'ailleurs, dans la vie, tout commence par une pensée. Tout ce que l'on voit autour de nous a d'abord été pensé par quelqu'un. Chacun de nous, même, est le résultat d'une pensée ! Un jour, nos parents ont pensé à avoir un enfant, ils ont fait certaines actions, et nous sommes venus au monde. Tout ce qui a été créé est une pensée à la base.

Nous n'avons pas le contrôle de nos pensées. Par exemple, au moment où vous lisez ce livre, il est possible qu'une pensée vous traverse l'esprit ; par exemple, vous vous rappelez que vous avez oublié de faire un appel téléphonique ou vous vous demandez si vous avez fait tel travail que vous deviez terminer. Si vous pensez en même temps que vous lisez, vous êtes probablement obligé de relire certains paragraphes, car votre tête est ailleurs. Vous n'avez pas le contrôle sur ces pensées, mais vous avez le contrôle sur ce que vous allez en faire. Car vos pensées affectent vos émotions. Si vous avez une pensée agréable, vous aurez une émotion agréable ; si vous avez une pensée stressante, vous aurez une émotion stressante.

Est-ce qu'il vous arrive, assis dans votre salon dans votre fauteuil préféré, de ne penser à rien et, tout à coup, de sentir une émotion négative vous envahir ? Vous êtes anxieux ou inquiet. Pourtant, rien n'a changé dans votre situation. Une pensée désagréable vous a probablement traversé l'esprit, ce qui a créé cette émotion déplaisante.

Vos émotions affectent votre comportement. Il y a plusieurs années, j'ai décidé de suivre des cours pour apprendre à piloter des avions. Je me suis inscrit dans une école. Un matin, à mon arrivée à l'aéroport, après avoir fait quelques cours théoriques, mon instructeur m'informe que nous effectuerons notre premier vol et que je serai aux commandes. J'étais très excité. Piloter un avion était un rêve que je caressais depuis plusieurs années et ce matin-là, mon rêve allait se réaliser.

Il m'explique tout ce que je dois savoir pour effectuer un bon décollage. Une des étapes consiste à entrer en communication avec le contrôleur aérien pour obtenir l'autorisation de décoller. Lorsque j'en fais la demande, le contrôleur me dit d'attendre, car un autre appareil connaît une situation problématique : ses moteurs se sont arrêtés. Plus rien ne fonctionne, l'avion est en descente et la femme qui pilote crie et pleure, dit qu'elle ne veut pas mourir.

Voyez-vous, je suis le prochain à prendre le départ... Lorsque je reçois l'autorisation de décoller, je suis nerveux et anxieux, et je me dis même que si quelqu'un veut prendre ma place, aucun problème : je la lui laisse volontiers ! Pourtant, lorsque je me suis présenté le matin pour ma leçon, j'étais très positif. Mais un événement était venu changer ma pensée et affecter mes émotions ; je ressentais maintenant de la peur, de l'anxiété, de l'angoisse. Inutile de dire que cela a modifié mon comportement. Par la suite, mon instructeur m'a dit que j'avais l'air très stressé. J'*étais* stressé. Je n'avais jamais réalisé auparavant que les moteurs d'un avion pouvaient s'arrêter en plein vol. Finalement, cela a affecté mes résultats : je n'ai pas aimé mon premier vol !

Heureusement, j'ai persévéré et j'ai obtenu mon permis de pilote privé. Cela m'a permis de me rendre compte que mes pensées affectent mes émotions, et que celles-ci affectent mon comportement, qui, lui, affecte à son tour mes résultats. Donc, si je veux changer un résultat, je dois d'abord changer mes pensées. Si je ne change pas ma façon de penser, mes résultats ne changeront pas.

En passant, la dame qui avait des problèmes de moteur a fini par atterrir sur une route non loin de l'aéroport. Même sans moteurs, un avion peut voler pendant quelque temps et se poser sans trop de dommages. Rappelez-vous ce qu'un bon pilote peut faire : le 24 août 2001, le commandant de bord Robert Piché de l'Airbus A330, sur le vol d'Air Transat 236 entre Toronto et Lisbonne, a réussi avec son copilote un atterrissage d'urgence sur la piste de la base de Lajes, aux Açores, sans moteurs, à la suite d'un vol plané de plus de vingt minutes après un incident causé par une fuite de carburant. Il a sauvé la vie des 291 passagers et des 13 membres de l'équipage.

Modifiez votre façon de penser

Donc, pour changer un résultat, je dois d'abord changer mes pensées. Un de mes amis a résumé cela à sa façon : « J'ai réalisé que si je ne change pas, je vais rester comme avant. » Quelle affirmation évidente, mais celle-ci, en réalité, n'est pas du tout comprise par la plupart des gens.

Combien de personnes se retrouvent toujours dans les mêmes situations ? Et le plus drôle, c'est qu'elles en sont conscientes. Elles disent, par exemple : « Comment se fait-il que je n'ai jamais d'argent ? » ; « Comment se fait il que j'ai toujours ce genre d'individus dans ma vie ? ».

Il est bien évident que si je ne change rien, tout va rester comme avant.

À la suite d'une rupture amoureuse, une amie m'avait confié qu'elle désirait rester seule pendant un certain moment pour faire le point sur ce qu'elle voulait et ne voulait plus dans sa vie. Je crois que c'est la meilleure attitude après une séparation ; ça vaut la peine de prendre du temps pour soi avant de s'engager dans une nouvelle relation. Elle est restée au moins deux semaines seule, puis elle a rencontré quelqu'un... Et devinez quoi : il est identique à son ex ! Même date et même année de naissance, même mal de dos ! Il lui ressemble même physiquement. Je me souviens qu'elle est venue à la maison avec son nouveau copain, nos enfants l'ont confondu avec l'ancien. Quelque temps après, elle l'a laissé, nous disant qu'il était pareil à son ex. Il est évident que si je ne change rien, tout va rester comme avant. Pourquoi ?

Nous devons comprendre que le cerveau humain a une part logique (ou rationnelle) et une part émotionnelle. Lorsqu'on vous transmet une information, elle passe d'abord par votre côté logique. Votre cerveau transfère ensuite cette information à votre sphère émotionnelle. Tout au long de votre vie, cette dernière a enregistré toutes les informations, toutes les expériences, tout ce que vous avez vu, touché, entendu depuis que vous êtes au monde. Nous avons tous une mémoire parfaite.

Il y a quelque temps, je regardais *Tout le monde en parle*. Une invitée parlait de *Passe-Partout*, une émission de télé qui a joué pendant plusieurs années. Elle a rappelé aux gens présents une comptine que les personnages chantaient ; elle a commencé à la fredonner, et tout le monde dans le studio l'a suivie. Les paroles allaient comme suit :

J'ai deux yeux
Tant mieux
Deux oreilles
C'est pareil
Deux épaules
C'est drôle
Deux bras
Ça va
Deux fesses
Qui s'connaissent
Deux jambes
Il me semble

Probablement que plusieurs d'entre vous la chantonnez au moment où vous lisez ces lignes. Pourtant, ça fait combien de temps que nous n'avons pas entendu cette comptine ? Nous avons tout en mémoire.

Les plus vieux d'entre vous se souviennent peut-être d'un journal qui a été édité pendant plusieurs années dans la région montréalaise : le *Montréal-Matin*. Ce quotidien faisait des publicités à la radio pour inciter les gens à utiliser ses petites annonces. Le message chanté allait comme suit : «Les p'tites annonces du *Montréal-Matin* ne coûtent pas cher et rapportent bien : 526-9231, 526-9231.» Le journal a fermé ses portes en 1978. Même si cela fait plus de trente ans que nous n'avons pas entendu cette publicité à la radio, plusieurs se rappellent encore le numéro de téléphone!

Le docteur Wilder Penfield est un des fondateurs et le premier directeur de l'Institut et hôpital neurologiques de Montréal, un centre de renommée internationale. Au cours de sa vie, il a écrit plusieurs livres dont un qu'il a terminé en 1974, alors qu'il était âgé de 83 ans. Cet ouvrage s'intitule *The Mystery of the Mind* et raconte ses quarante ans d'études sur le cerveau humain. Au cours de ses activités, il a utilisé une technique qui a permis de révéler des fonctions spécifiques de diverses régions du cerveau jusqu'alors inexplorées. Le docteur Penfield a découvert la source de la mémoire, il a capté le réservoir des anciennes sensations et des émotions oubliées et a localisé l'«entrepôt» des rêves. Mais il a aussi compris que le cerveau ne fait pas la différence entre une information vraie et une information fausse : il enregistre les informations exactement à la façon d'un ordinateur.

Si vous informez votre ordinateur que $2 + 2 = 5$, chaque fois que vous ferez cette addition sur votre appareil, vous obtiendrez ce résultat. Même si vous savez que ce n'est pas vrai ou que vous frappez votre ordinateur d'un coup de pied, vous obtiendrez toujours la même somme. Tant et aussi longtemps que l'information ne sera pas modifiée dans la mémoire de la machine, vous obtiendrez 5. Le cerveau fonctionne de la même façon : il enregistre les informations, qu'elles soient vraies ou non !

Une dame m'a raconté l'histoire suivante. Sa nièce commençait l'école. En première année, les enfants devaient faire des associations de mots et d'images. L'enseignante leur présentait des photos, et les élèves disaient ce qu'ils voyaient. Elle leur montra celle d'un arbre, puis celle d'une maison, d'une automobile et, finalement, la photo d'un avion. Lorsque les enfants virent les premières photographies, ils répondirent tous correctement. Au moment où elle leur montra la dernière, tous les élèves dirent en chœur : « Avion ! » Sauf la nièce en question qui répondit plutôt : « Un r'garde là. » Pourquoi ? Parce que depuis qu'elle était toute petite, quand son père lui montrait du doigt un avion dans le ciel, il disait : « R'garde là ! » La petite fille avait donc enregistré cette information, elle avait associé l'appareil à ce mot... et elle continue de le faire encore aujourd'hui !

Pensez-y. Si, depuis tout jeune, on vous a répété que vous êtes un « sans dessein », l'information a été envoyée à votre cerveau logique, qui l'a relayée au cerveau émotionnel. À force de l'entendre, celui-ci a accepté cette affirmation comme vraie et vous agissez probablement comme un « sans dessein » aujourd'hui, même si ça n'a rien de réel.

Quand j'étais jeune, mon père était propriétaire d'une épicerie-boucherie. Lorsque j'y travaillais, il me répétait souvent : « Arrête de trébucher sur tout ce qu'il y a par terre. » Il entendait une bouteille tomber sur le sol, il disait : « Pierre, regarde où tu marches. » À force de me faire répéter cela, je suis devenu quelqu'un qui, effectivement, trébuchait sur tout. Je jouais de la musique dans un quatuor, quand j'étais plus jeune. Avez-vous déjà remarqué la quantité de fils qu'on trouve sur une estrade durant un spectacle ? Je m'y « enfargeais » toujours; chaque fois, les gars disaient: «Ça, c'est Pierre, il a encore les pieds pris dans les fils!»

Il y a quelques années, je donnais une formation au centre-ville de Montréal. Une des participantes est arrivée en retard en début de journée. À la pause, elle est venue me voir et m'a dit: «Je savais que je serais en retard ce matin. Chaque fois que je viens au centre-ville, je me perds.»

Que s'est-il passé? En se réveillant le jour même, elle s'est rappelé qu'elle devait aller au centre-ville. L'information est passée de son cerveau logique à son cerveau émotionnel. Son cerveau s'est alors souvenu que lorsqu'elle va à cet endroit, elle se perd toujours. Arrivée à une intersection, elle s'est demandé si elle devait aller vers la droite ou la gauche. Lorsque la question a atteint son côté émotionnel, le cerveau lui a envoyé une commande qui a fait en sorte qu'elle s'égare. Elle est donc bel et bien arrivée en retard. Tant et aussi longtemps qu'elle va penser de cette façon, elle va obtenir le même résultat. Si elle veut un résultat différent, elle devra changer ses pensées.

Modifier nos pensées change nos émotions qui, elles, modifient nos comportements, ce qui finalement modifie nos résultats.

PENSÉE → ÉMOTION → COMPORTEMENT → RÉSULTAT

L'influence de votre passé sur votre vie actuelle

Mon père est décédé d'une crise cardiaque à l'âge de 57 ans. Après sa mort, plus les années passaient, plus la pensée me venait que je pourrais vivre la même chose que lui. En 2008, j'ai atteint l'âge fatidique de 57 ans! Tous les jours, je pensais à cela, ce qui me faisait vivre du stress, de l'anxiété, de la tristesse... J'avais peur de mourir.

Le fait d'y penser me rendait inquiet. Dès que je ressentais un malaise quelconque ou un petit pincement au cœur, dès que ma respiration devenait rapide, la peur m'envahissait. Les symptômes devenaient de plus en plus fréquents. Un matin, me dirigeant chez un de mes clients, j'ai éprouvé un très grand malaise. J'avais de la difficulté à respirer et à bien voir la route, je ressentais un point au milieu de l'estomac, des chaleurs intenses. Croyant que je faisais une crise cardiaque, j'ai pris la décision d'aller au plus vite à l'hôpital. Quand je suis arrivé là-bas, le personnel infirmier m'a immédiatement pris en charge. Électrocardiogramme, prises de sang, radiographie des poumons, soluté, tapis roulant : «le gros *kit*», comme on dit.

Après avoir fait tous les tests possibles, le médecin m'a tout simplement dit que je n'avais absolument rien, que j'étais en pleine santé! Sur le coup, je me suis dit : «Ça y est, ils se sont trompés de dossier.» Je ne voulais absolument pas croire que le fait de me retrouver à l'hôpital était le fruit de ma façon de penser. Mais j'ai pourtant dû me rendre à l'évidence : mes pensées avaient créé ce résultat.

Il y a plusieurs années, une pensée me venait souvent à l'esprit, au printemps : «Vais-je avoir encore du travail à l'automne?» Quand cette saison arrivait, je me demandais : «Vais-je avoir encore du travail au printemps?» Il est évident que ces pensées me faisaient vivre des émotions négatives et limitatives. Je ressentais du stress, de l'anxiété; je cultivais une insécurité financière. Cette façon de penser m'amenait à travailler durant des heures interminables. J'avais beaucoup de difficulté à prendre du temps libre; parfois, je faisais même carrément de la procrastination en remettant au lendemain ce que j'aurais pu faire le jour même. J'œuvrais inconsciemment pour finalement obtenir les résultats attendus: le manque de travail. Pourtant, cette façon de penser ne m'amenait absolument pas le genre de vie que je voulais avoir, c'est-à-dire connaître le succès, la paix, la sérénité, le bonheur...

Aujourd'hui, ma vie est totalement différente de ce qu'elle était à l'époque. Je fais un travail qui me passionne tout en prenant le temps de respirer et de me détendre. Ma conjointe et moi avons eu la chance d'acheter un condo en Floride et nous y allons tous les mois. J'ai appris à me réserver des temps d'arrêt. Cela me permet également de jouer mon rôle de grand-père avec mes petits-enfants et d'avoir des amis extraordinaires autour de moi, avec qui j'ai l'occasion de partager mes joies et mes préoccupations. Je n'ai plus jamais de crise d'insécurité, comme dans le passé. Je ne vous dis pas que je ne vis jamais un sentiment d'insécurité à l'occasion, mais ça n'a rien à voir avec le passé.

● ●

Exercices
Comment vos attitudes ont affecté vos résultats

Rappelez-vous une crise que vous avez vécue dans les dernières années : une rupture amoureuse, une perte d'emploi, une maladie, etc. Avez-vous eu tendance à focaliser sur :

* votre malchance ?
* vos pertes ?
* votre malheur ?
* vos apprentissages ?
* les occasions que cela pouvait représenter ?
* la libération que cela vous permettait de vivre ?

Si vous avez ressenti de la détresse au moment du changement, voyez-vous aujourd'hui les avantages que cette crise vous a apportés ? Êtes-vous finalement content que ce changement soit survenu ?

● ●

Comment changer vos pensées

Les spécialistes disent que nous avons des milliers et des milliers de pensées à chaque instant, tous les jours. Ce soir, avant de vous coucher, placez une feuille de papier et un crayon sur votre table de chevet. Lorsque vous vous réveillerez demain matin, écrivez immédiatement les pensées qui vous viennent à l'esprit. Vous réaliserez qu'elles sont très nombreuses. Mais y en a-t-il qui se répètent ?

La première chose à faire, c'est prendre conscience de vos pensées récurrentes. Certaines sont positives, elles vous aident à progresser dans la vie ; d'autres sont négatives et nuisibles.

Il est important de détecter vos pensées nuisibles récurrentes.

1. Écrivez cinq pensées positives ou négatives qui vous reviennent régulièrement à l'esprit. Elles peuvent prendre la forme de questions. Si vous avez de la difficulté à les repérer, lisez les affirmations et les questions suivantes :
   - J'espère avoir assez d'argent pour la fin du mois.
   - J'espère ne pas être malade.
   - J'ai peur d'être malade.
   - Je suis tout le temps malade.
   - Comment vais-je m'habiller ce matin ?
   - Je m'habille mal.
   - Vais-je avoir le temps de faire tout le travail que je dois terminer aujourd'hui ?
   - J'en ai trop sur les épaules, c'est sûr que je n'y arriverai pas.
   - C'est sûr que je vais être encore dans le trafic !

- Comment se fait-il que je me retrouve encore dans cette même situation «plate»?
- J'espère que mon patron ne me «tombera pas dans la face» encore aujourd'hui!
- Je ne veux pas être en retard à mon rendez-vous!
- Je vais être en retard, c'est écrit dans le ciel.
- J'espère ne pas avoir trop de difficulté à mon rendez-vous!
- J'ai peur de mourir, d'être malade, de perdre quelque chose ou quelqu'un.
- Je veux atteindre mes objectifs.
- Je n'atteindrai certainement pas mes objectifs.
- Quel est mon plan d'action pour la journée?
- Je vais vivre quelque chose d'extraordinaire aujourd'hui!
- Comment faire pour réaliser telle activité?
- Merci à l'avance pour la belle journée que je vais passer.
- La vie est très bonne pour moi.
- Pourquoi ai-je si mal à la poitrine (au ventre, au dos, etc.)?
- Je ne sais pas si mon conjoint m'aime encore.
- J'ai peur qu'on ne m'aime pas.
- C'est sûr, X ne m'aime plus.
- Pourquoi est-ce que je n'obtiens jamais ce que je veux?
- Pourquoi ai-je un moins bon travail que mes amis?

> **LES QUESTIONS QUE VOUS VOUS POSEREZ
> ÉQUIVAUDRONT À LA QUALITÉ DE VIE QUE VOUS AUREZ.**

2. Voyez ensuite si ces pensées vous apportent davantage des émotions positives ou négatives.

   Une pensée positive vous donne de l'énergie, de l'enthousiasme, de l'espoir, un sentiment de bien-être, de l'amour, du bonheur, de la tranquillité d'esprit, de la sérénité, etc.

Une pensée négative vous fait vivre du stress, de l'anxiété, de l'apitoiement sur vous-même, des peurs, de l'insécurité, etc.

3. Maintenant que vous avez terminé l'inventaire et le classement de vos pensées, diriez-vous que vous êtes une personne positive ou négative ? Écrivez en quelques mots comment celles qui sont négatives affectent votre comportement de tous les jours dans votre vie personnelle, au travail et dans vos activités en général.

4. Si vous poursuivez votre vie avec ces mêmes pensées qui vous minent, quel genre de résultats pensez-vous obtenir ?

Écrivez ce qui suit :

Aujourd'hui, je comprends que ma façon de penser affecte mes résultats dans ma vie. Il a fallu que je change ma façon de penser pour changer mes résultats. En continuant de penser négativement, il est certain que je vais obtenir des résultats dont je ne veux plus. Je choisis de cultiver mes pensées positives et de réfléchir à mes pensées négatives pour voir de quelle façon je pourrais penser autrement.

Comment faire ? Il suffit tout simplement de transformer les pensées négatives en pensées positives.

J'en ai trop sur les épaules, c'est sûr que je n'y n'arriverai pas.	J'ai beaucoup à faire aujourd'hui, je vais faire une liste pour avancer le mieux possible.
C'est sûr que je vais être encore dans le trafic !	Je vais partir un peu plus tôt (ou plus tard) pour éviter la circulation. S'il y a un embouteillage, je vais en profiter pour écouter mon émission de radio préférée. Si je suis dans un embouteillage, je vais en profiter pour réfléchir à un problème que j'ai afin de trouver des solutions.

Vais-je avoir du travail dans quelques mois?	En faisant ce que j'ai à faire aujourd'hui, j'aurai certainement encore du travail dans l'avenir.
J'ai peur de mourir à 50, 52 ou 57 ans parce qu'un de mes parents est décédé à cet âge-là.	Je suis en pleine santé, je fais attention à moi, j'ai passé tous les tests qui auraient pu détecter un problème : tout va bien.

Prenez le temps de lire et de relire les pensées négatives devenues positives; ressentez les émotions agréables que cela produit sur vous.

En transformant vos pensées négatives en pensées positives, vous changez également vos émotions; elles deviennent inspirantes et positives, ce qui vous incite à passer à l'action aujourd'hui pour obtenir les résultats attendus dans le futur.

● ● ● ● ● ● ● ● ● ● ● ● ● ● ● ● ● ● ● ●
Cultivez les pensées positives

Voici une autre façon d'avoir des pensées positives. Lorsque vous vous réveillez, commencez votre journée avec une pensée positive. Répétez-vous : «Aujourd'hui, je choisis d'être heureux, car c'est exactement de cette façon que je veux passer ma journée.»

Je dois vous dire que ce n'est pas tout le monde qui fait le même choix. Il y a des gens qui préfèrent passer une mauvaise journée (ou nous en faire passer une mauvaise). On les rencontre souvent dans la circulation, le matin. L'autre jour, j'étais sur l'autoroute, nous étions tous arrêtés. L'auto qui me précède avance un peu, quelques pieds. Je ne bouge pas tout de suite. Le gars qui est derrière moi veut que j'avance immédiatement. Il klaxonne. En regardant dans le rétroviseur, je le vois gesticuler comme un malade. Il décide de me dépasser par la droite, en prenant l'accotement. En passant à côté de moi, il me fait un doigt d'honneur.

Dans le passé, si quelqu'un osait me faire cela, je partais après lui. Aujourd'hui, je le regarde et je me dis : « Il ne va pas bien. Mais ce n'est pas pour cette raison que moi, je vais aller mal. »

●●●●●●●●●●●●●●●●●●●●●●●

Des affirmations qui vous donnent de l'énergie

Pour avoir des pensées positives pendant la journée, j'ai toujours sur moi une feuille sur laquelle j'ai écrit des affirmations positives. Lorsque j'ai des pensées négatives, j'en lis quelques-unes et, tout de suite, ça va mieux. Voici quelques exemples :

- Je suis la santé, la vie et la vitalité sans cesse renouvelées.
- Je consens à oublier le passé et à vivre chaque instant de ma vie comme un éternel recommencement.
- L'amour et la paix remplissent mon esprit et mon corps ; tout mon être est en harmonie.
- Je mérite d'être heureux !
- Je suis le courant de la vie, et ma vie est facile et remplie de bonheur.
- Je vois la beauté autour de moi et je rayonne d'amour et de joie.
- Je choisis maintenant les pensées qui me soutiennent avec amour.
- Je me détends et j'accepte les bonnes choses que je mérite dans ma vie.
- Je prends régulièrement le temps de faire les choses que j'aime faire.
- Je suis rempli d'énergie et de vitalité.
- J'ai une santé parfaite.
- Je mérite toutes les bonnes choses de la vie ; elles viennent à moi facilement.
- Je suis calme et je me détends ; je suis en harmonie.
- Je mange sainement, je nourris bien mon corps.
- Je m'alimente de mieux en mieux.
- Toutes mes relations sont sereines et harmonieuses.
- J'attire à moi la prospérité et l'abondance.
- J'ai un emploi épanouissant et enrichissant à tous les points de vue.

- J'ai une vie sociale paisible et équilibrée.
- Je suis entouré de gens positifs et extraordinaires qui me stimulent et me motivent quotidiennement.

Je vous suggère également de lire ces affirmations le soir avant de vous endormir afin de permettre à votre cerveau de les enregistrer. Le lendemain, vous aurez des pensées positives.

● ●

Planifiez une pause-souci par jour

Si vous avez tendance à vous en faire beaucoup, ce moyen simple vous permettra de vous calmer. Chaque jour, à la même heure, prenez 15 minutes au moment qui vous convient pour faire la liste des petits problèmes que vous avez. Elle pourrait ressembler à celle-ci :

- J'ai mal au dos.
- Je suis en retard dans mes dossiers de travail.
- Ça fait longtemps que mon copain (ou ma copine) et moi n'avons pas passé un bon moment ensemble.

Ensuite, décortiquez le problème, puis orientez votre réflexion vers les solutions.

- J'ai mal au dos. Je vais consulter mon médecin pour voir ce qu'il en dit ; peut-être qu'il me proposera une radiographie. Je vais aussi prendre rendez-vous avec un ostéopathe, faire des exercices. Et mes chaussures, sont-elles vraiment adéquates ?
- Je suis en retard dans mes dossiers de travail. Je vais voir exactement l'ampleur du retard que j'ai pris en faisant une liste. Surtout, je vais continuer de respirer calmement : à quoi ça servirait de m'énerver ? Je vais essayer d'en parler avec mon patron ou des collègues, peut-être que l'un d'eux aurait du temps ?
- Ça fait longtemps que mon copain (ou ma copine) et moi n'avons pas passé un bon moment ensemble. Je vais lui proposer de sortir, bientôt. Il n'aime pas trop choisir lui-même les activités, alors je vais penser

à tous les détails. Ou je pourrais simplement lui en parler et voir s'il me revient avec des suggestions.

● ●

Précisez vos attentes et modifiez vos croyances

Nous avons vu qu'il est possible d'agir sur nos pensées négatives au moment où elles se présentent. Mais ces pensées, d'où viennent-elles? Et, surtout, comment faire pour qu'elles aient moins d'influence sur notre vie?

Quelles sont vos attentes?

Il faut comprendre d'abord que nos attitudes sont créées par nos attentes. Quelles sont vos attentes face à la vie?

Lorsque ma fille est née prématurément à 7 mois, elle ne pesait que 3 livres (1,5 kilo). Elle a donc passé les premiers mois de sa vie dans un incubateur jusqu'à ce qu'elle atteigne 5 livres (2,25 kilos). De retour à la maison, comme tous les parents, nous l'avons examinée de la tête aux pieds. Nous avons alors remarqué un problème aux yeux, qui n'avait pas été détecté. Ses pupilles n'étaient pas au centre. Nous avons donc consulté un spécialiste, qui nous a informés que notre fille ne verrait probablement jamais. J'ai demandé au médecin si une opération pouvait régler le problème. Il m'a répondu par la négative, me spécifiant que, dans certains cas, des enfants recouvraient la vue, tandis que d'autres restaient malvoyants toute leur vie. Je dois vous avouer que ce fut un choc, je ne savais que faire.

À cette époque, j'avais déjà été initié aux livres de motivation et de développement humain. J'y avais lu que ce qu'on attend des autres provoque souvent l'attitude attendue chez eux : autrement dit, les gens réagissent souvent comme ce qu'on attend d'eux. J'ai donc pris la décision qu'Anne voyait, et je l'ai toujours traitée en conséquence. Je me souviens de l'avoir regardée quand elle commençait à peine à se traîner à quatre pattes. Je pensais : « Elle va se frapper la tête, si elle ne change pas de côté. » Effectivement, c'est ce qui arrivait. Même chose lorsqu'elle a commencé à marcher, elle s'est souvent heurté la tête. Je lui disais toujours la même chose : « Anne, il faut que tu regardes. »

Aujourd'hui, Anne voit. Elle a encore un handicap visuel, mais elle voit !

Une fois l'an, durant les dix-huit premières années, nous avons dû nous rendre à l'hôpital Sainte-Justine afin de lui faire passer des examens avec le docteur Jacob. Régulièrement, lors de ces visites, ce dernier faisait venir des étudiants en ophtalmologie dans le cabinet pour qu'ils assistent à l'examen, dans le but d'apprendre à faire un diagnostic. Chaque fois, ils confirmaient qu'Anne ne verrait jamais. Pourtant, aujourd'hui elle voit.

Certaines personnes m'ont affirmé que le diagnostic était mal fait, qu'on n'avait pas à passer par tout cela. Peut-être, mais combien d'entre vous ont entendu parler de gens placés dans des institutions psychiatriques par erreur et qui, après un certain temps, sont devenus vraiment malades? Je crois que nos attentes ont une influence sur ce qui se produit.

Quelles attentes avez-vous par rapport à votre vie ou à celle de votre famille? Vous est-il déjà arrivé de vous lever un matin en pensant: «Je sens que ça va être une journée de merde!» Quel genre de journée avez vous passée? De merde! Et qu'avez-vous dit, à la fin de cette journée? «Je le savais, j'aurais dû rester couché ce matin.» Vos attentes affectent votre attitude.

Une croyance positive a des effets heureux. Deux enseignants auprès d'enfants du début du secondaire ont uni leurs efforts pour aider un groupe de jeunes ayant des difficultés d'apprentissage. Ils ont fusionné deux classes (une régulière et une composée d'élèves en difficulté) et ont commencé à travailler avec les élèves par projets. Comme les jeunes qui ont des difficultés d'apprentissage sont généralement plus intuitifs mais moins ordonnés, les enseignants mettaient en place des projets concrets (monter un aquarium, par exemple). Ensuite, ils leur faisaient faire des recherches et leur enseignaient le français et les mathématiques à partir de ces projets. Résultat? Les enfants étaient ravis et motivés`. L'un d'eux a même dit: «Même pendant les congés, on a hâte de venir à l'école.» La confiance de ces enseignants en leur méthode et en leurs élèves a joué un rôle dans ce succès. C'est en changeant nos croyances négatives pour des croyances épanouissantes qu'on améliore sa vie.

Quelles sont vos croyances?

Par quoi nos attentes sont-elles influencées? Par nos croyances. Comme je le mentionnais précédemment, tout ce que nous avons vu, touché, entendu, expérimenté dans notre vie est enregistré de façon permanente dans notre cerveau. À force d'être répétées, ces informations sont devenues des croyances.

Nous avons des croyances sur tout ; sur nous, le couple, le travail, l'argent, le bonheur, la famille, les loisirs, la santé, etc. Imaginez que vous êtes dans un centre commercial et qu'après votre magasinage vous vous dirigez vers votre automobile. Soudain, dans le stationnement, vous remarquez un couple dans la cinquantaine qui s'embrasse tendrement. Quelle sera votre première pensée ? Ils ne sont pas mari et femme ; ils doivent être amants.

Comment se fait-il que notre première pensée ne soit pas : « C'est merveilleux, ce couple doit fêter son vingtième anniversaire de mariage. » On ne pense pas à cela, car normalement, après quelque temps de vie commune, on ne fait pas de *necking* dans le stationnement d'un centre commercial.

Vous êtes au restaurant et vous remarquez un couple assis à la table voisine. Les amoureux se tiennent par la main et ne se quittent pas des yeux. Quelle est votre première pensée ? « Ils viennent tout juste de se connaître ! » Comment se fait-il que l'on ne se dise pas : « Que c'est beau un couple qui, après quelques années de vie commune, se tient encore par la main ! »

Lorsque j'ai rencontré la femme avec laquelle je partage aujourd'hui ma vie, les gens voyaient bien dans mes yeux que j'étais amoureux. Je leur racontais à quel point c'était extraordinaire. Ils me disaient : « Attends six mois, ça va te passer. » Après ce délai, ils m'ont demandé : « Et puis, c'est comment ? » J'ai répondu : « C'est extraordinaire, ce qu'on vit ensemble. » Ils ont rétorqué : « Attends un an, normalement ça devrait se tasser. » Après toute une année, ils m'ont adressé la même question, je leur ai donné la même réponse.

Ils ont été surpris, car après un certain nombre d'années, la vie de couple devient souvent ordinaire. Aujourd'hui, ça fait plus de dix ans que nous sommes ensemble et je ne changerais de place avec personne. C'est encore extraordinaire !

Vous voyez passer une personne dans une voiture très luxueuse, quelle est votre première pensée ? « Ce doit être un chanceux ou quelqu'un qui a fraudé les autres. » Comme si, pour réussir dans la vie, il fallait avoir de la chance ou être un voleur. Comme s'il était impossible de réussir de façon honnête, en faisant simplement les efforts nécessaires.

Nous avons des croyances face à la vie. Certaines personnes croient qu'elle est un combat de tous les jours, qu'il n'y a rien de facile ; d'autres pensent qu'elle est un grand jeu et que chaque jour apporte son lot de plaisirs.

Nous avons des croyances face à l'argent. Combien de fois ai-je entendu des gens parler de « la maudite argent ». On entend : « L'argent ne fait pas le bonheur » ; « On n'est pas riche, mais on est heureux ». D'autres croient que l'argent, c'est de l'énergie et qu'il y en aura toujours.

Je me souviens d'une expérience simple qu'on m'avait suggérée pour comprendre quelles étaient mes croyances face à l'argent. Une personne m'avait demandé : « Combien d'argent as-tu dans tes poches ? » Je lui ai répondu : « Cent cinquante dollars. » Elle m'a dit : « Dès que tu verras quelqu'un que tu ne connais pas, donne-lui tes cent cinquante dollars. » Ma première réaction a été la suivante : « Mais je ne peux pas lui donner tout cet argent, je n'en aurai plus dans mes poches ! En plus, je ne le connais pas. Pourquoi lui donnerais-je mon argent ? » Je me suis senti très mal à l'aise. J'avais un sentiment de manque, la peur de ne pas le retrouver. Sans le savoir, j'avais des croyances limitatives face à l'argent.

Je vous propose la même chose. Peu importe le montant que vous avez dans vos poches actuellement, donnez-le à quelqu'un que vous ne connaissez pas. Immédiatement. Comment vous sentez-vous ?

C'est ce qu'on appelle des croyances, et ces dernières se sont bâties tout au long de notre vie à partir des expériences vécues, à partir de tout ce que l'on a pu voir, toucher, entendre, expérimenter.

Certaines sont positives, d'autres négatives ; et une étape pour changer nos résultats dans notre vie, c'est de changer nos croyances limitatives pour des croyances épanouissantes. Comment faire ?

● ● ● ● ● ● ● ● ● ● ● ● ● ● ● ● ● ● ●

Exercice
Prenez conscience de vos croyances

Installez-vous dans un endroit où vous ne serez pas dérangé pendant un certain temps et détendez-vous. Prenez de grandes respirations pour détendre votre corps. Une fois cela fait, lisez le début des phrases suivantes et finissez-les en écrivant dans un cahier les premières idées qui vous viennent en tête. Il ne s'agit pas de raisonner, mais plutôt de voir ce que vous croyez d'instinct à propos des divers aspects de votre vie.

- Pour moi, l'argent représente...
- Pour moi, la vie est...
- Pour moi, une relation de couple, c'est...
- Pour moi, la vie de famille est...
- Selon moi, pour obtenir l'abondance, je dois...
- Selon moi, Dieu est...
- Selon moi, le passage de l'adolescence à la vie adulte est...

Ces phrases, une fois complétées, feront état de vos croyances. Vous remarquerez que vous avez toutes sortes de croyances face à tout ce qui se passe autour de vous et que, souvent, vous n'en avez pas conscience.

Certaines limitent peut-être votre épanouissement. Il s'agira de changer ces croyances limitatives en croyances évolutives, d'abord en réalisant d'où elles proviennent.

Pour cela, relisez chacune des phrases que vous avez écrites, puis posez-vous la question suivante : « Où ai-je appris cela ? » Prenons l'exemple des croyances sur l'argent. Admettons que vous ayez affirmé : « Pour moi, avoir assez d'argent est un objectif très difficile à réaliser. »

Demandez-vous :

- Depuis combien de temps est-ce que je crois cela ?
- Est-ce que j'ai grandi avec cette impression ?
- Est-ce que des coups durs m'ont amené à adopter cette croyance ?
- Qu'est-ce que chacun de mes parents m'a appris sur cette question ?
- Comment géraient-ils eux-mêmes leur argent ? (Pensez à chacun d'eux : ils étaient peut-être différents.)
- Est-ce que l'argent était un sujet de litige entre eux ?
- Ai-je toujours considéré qu'il était facile d'avoir un bon salaire pour mon travail ou, au contraire, cela m'a-t-il toujours semblé difficile ?
- Est-ce que je pense que j'ai droit à l'abondance ou, au contraire, que je suis né pour un petit pain ?
- Est-ce que je négocie avec une relative facilité, quand c'est le moment ?
- Est-ce que je suis attentif à mes besoins ?
- Est-ce que j'ai tendance à fuir quand je dois parler d'argent ?
- Est-ce que l'ambiance actuelle est bonne ou mauvaise ? Me parle-t-on sans cesse de crise ?

Si vous avez écrit, par exemple, que la vie de couple, ce n'est que des problèmes, demandez-vous :

- Où ai-je appris cela ?
- Ai-je vu mes parents être heureux ensemble ?
- Quel genre de couple formaient-ils ?
- Se sont-ils séparés ? Sont-ils restés ensemble tout en étant comme chien et chat ?

- Est-ce que, plus tard dans ma vie, j'ai vécu une union tendue et difficile ?
- Si oui, est-ce que j'ai vraiment fait le deuil de cette relation ou ai-je conservé l'idée que toute union donnera le même résultat ?
- Est-ce que j'ai des exemples de gens heureux en couple autour de moi ?

Laissez-vous aller ; posez-vous toutes sortes de questions qui vous feront voir ce que vous croyez vraiment sur la vie de couple.

Faites le même exercice pour toutes vos croyances limitatives, celles qui vous rendent la vie triste. Évidemment, si vos croyances concernant un sujet sont agréables et stimulantes, vous aurez moins besoin de vous y attarder.

Après avoir fait la liste de vos croyances et compris d'où elles venaient, prenez le temps de voir ce qu'elles vous ont causé comme problèmes dans votre vie.

● ●

Attention à l'influence des autres

Quand j'ai fait l'exercice précédent, j'ai pris conscience que plusieurs de mes croyances venaient directement de mon enfance, des valeurs que mes parents véhiculaient et des expériences que j'avais vécues.

Pendant plusieurs années, j'ai été ce que l'on appelle un *workaholic* : un bourreau de travail. Ma seule passion dans la vie consistait à travailler, sept jours sur sept. J'avais beaucoup de difficulté à rester à ne rien faire. Après m'être posé des questions concernant le travail, j'ai compris que ce comportement me venait de mon père. Lorsque j'étais jeune et que je m'assoyais dans le salon pour simplement écouter de la musique, il me disait : « Lève-toi ! Arrête de niaiser et trouve-toi quelque chose à faire. Un homme, ça ne reste pas assis, ça s'occupe.» Dès l'âge de 8 ans, je travaillais dans son magasin plutôt que de jouer avec mes amis. Pendant la semaine, je livrais des circulaires de porte en porte. Je n'arrêtais jamais. Évidemment, quand je suis devenu adulte, j'ai conservé ce comportement. Jusqu'au jour où la vie m'a aidé à comprendre qu'il est essentiel de faire autre chose que de travailler.

Je n'en veux pas à mon père, loin de là. Mais ce que j'ai réalisé, c'est que cette croyance appartenait à lui, pas nécessairement à moi. J'ai donc dû faire le ménage de toutes mes croyances : j'ai conservé celles qui me rendent bien et j'ai changé celles qui ne m'appartiennent pas.

Nos croyances naissent de répétitions

Voici un autre exemple. Dans ma famille, l'argent était un vrai casse-tête. On n'en avait jamais assez ! C'était un sujet de conversation qui revenait sans arrêt. Je me souviens d'avoir entendu mes parents parler d'un couple qui vivait dans la même ville que nous. Selon eux, ces gens possédaient beaucoup d'argent : «C'est sûr qu'ils en ont, ils viennent encore d'hériter de quelqu'un de leur famille.» Je ne sais pas combien d'héritages ils ont reçus, mais j'avais l'impression que cela arrivait toutes les semaines. J'en suis venu à croire que pour avoir de l'argent dans la vie, il fallait être couché sur un testament. Mes parents n'étant pas riches eux-mêmes, je n'ai personnellement pas eu la chance d'hériter. Je ne pourrai donc jamais avoir la fortune que je désirais ! C'était une croyance que je devais recadrer.

Les expressions comme «la maudite argent», je les ai entendues dans ma famille. J'ai alors dû réaliser que cette croyance limitative face à l'argent me venait de mes parents et qu'elle ne m'appartenait pas. J'ai ensuite compris comment cette croyance m'avait causé du tort. Lorsque je suis devenu adulte, l'argent a longtemps été un problème pour moi. Même si j'en gagnais beaucoup, j'avais toujours l'impression que j'allais en manquer. Je vivais beaucoup d'insécurité financière. Je me souviens de certaines nuits où, couché dans mon lit, j'étais apeuré, en sueur, craignant qu'on vienne chercher tout ce que je possédais et de me retrouver à la rue ! J'ai vécu avec ce type de pensée jusqu'au jour où j'ai décidé de changer mes croyances limitatives face à l'argent en croyances épanouissantes.

Ce que je trouve extraordinaire, c'est que nous sommes huit enfants chez nous et que nous n'avons pas tous les mêmes croyances. Chacun enregistre des croyances personnelles et, dans une même famille, elles peuvent facilement être totalement différentes chez chacun de ses membres. Et vous, quelle est votre expérience par rapport à votre vécu et à celui de vos frères et sœurs ? Avez-vous déjà été étonné de les voir interpréter tout à fait différemment de vous un comportement d'un de vos parents ?

Une autre croyance que j'ai modifiée porte sur le droit que je me donnais de m'amuser. Je croyais : « Avoir du plaisir, c'est une perte de temps. » Quand j'étais jeune, on n'avait pas le droit de faire des folies. J'entends encore mon père me lancer : « Reste tranquille, arrête de t'exciter. Tu es bien mieux de ne pas nous faire honte en faisant des niaiseries. » J'ai donc appris à être sage et à mal juger les gens très enthousiastes. Je me souviens lorsque mon jeune frère a rencontré sa copine, qui aujourd'hui est sa conjointe et la mère de ses enfants. Lors de son premier Noël en famille, elle dansait partout, elle montait sur les tables et elle faisait toutes sortes de folies, simplement pour s'amuser. Nous, les frères et sœurs les plus vieux, nous étions assis autour de la table, estomaqués par son comportement. On se disait intérieurement : « Mais veux-tu me dire quelle sorte d'énergumène il a rencontrée?» Heureusement, cela ne l'a pas empêchée de continuer d'être elle-même; on a appris à la connaître et je crois qu'elle a aidé certains d'entre nous à sortir de leur zone de confort et à apprendre à s'amuser, à rire, à simplement déconner. Aujourd'hui, moi-même, j'ai plus de facilité à avoir du plaisir, même si j'ai encore du travail à faire en ce sens.

Il a fallu que je comprenne d'où venait cette croyance, qu'elle appartenait à mes parents et que, tout au long de ma vie, j'avais perdu beaucoup d'occasions de m'amuser. J'avais été trop sérieux et j'avais oublié d'avoir de l'agrément. Aujourd'hui, je profite mieux de la vie, mais j'avoue que j'ai encore beaucoup à faire pour éliminer la croyance suivante: le plaisir ou le fait de *déconner*, c'est pour les gens mal élevés!

Quand on sait d'où viennent nos croyances limitatives, quand on comprend qu'elles appartiennent souvent à nos parents ou à des personnes qu'on a connues lorsqu'on était jeune, quand on constate clairement les torts qu'elles ont causés à notre vie, il reste à se demander: «Quelle serait ma vie si ces croyances étaient positives, épanouissantes, si elles me permettaient de vivre la vie que j'ai choisie?»

Chaque fois que je fais cet exercice, je vois clairement que ma vie est totalement différente, si j'adopte des croyances bénéfiques. Dites-vous: «Oui, je peux vivre la vie que je désire.»

Remarquez que je dis bien *chaque fois* que je fais cet exercice, car je suis en constante évolution et j'espère que ce sera comme ça toute ma vie. Rappelez-vous toujours qu'il vaut mieux parler de croissance personnelle plutôt que de perfection personnelle, parce que la perfection, on ne l'atteint jamais!

● ·● ●

Exercice
La technique du bénéfice

Comment changer une croyance limitative en croyance épanouissante ? En utilisant la technique du bénéfice. Pour chacune des croyances limitatives que vous avez notées précédemment, posez-vous la question suivante : « Quel est le bénéfice que je retire en entretenant cette croyance ? »

Dans la vie en général, les gens agissent dans un sens si ça leur rapporte, si ça leur offre un avantage, un bénéfice. Par exemple, vous croyez que la vie est un combat quotidien. Demandez-vous : « Quel est le bénéfice que je retire de cette croyance ? » En fait, celle-ci justifie le fait que vous ayez tant de problèmes dans votre vie. Ensuite, les gens vous prennent en pitié et s'occupent de vous. Ce qui en découle, c'est que vous avez le sentiment d'être important.

Maintenant, poursuivons notre exemple. Demandez-vous : « Est-ce que le fait d'avoir des problèmes et de susciter la pitié vous apporte le genre de vie que vous désirez, soit la sérénité, le calme, le bien-être et l'harmonie ? » La réponse est : absolument pas. Cela vous maintient simplement dans un combat de tous les jours.

Revenons à mon ancienne croyance selon laquelle je devais travailler sans arrêt. Quel était le bénéfice pour moi de croire à cela ? Ressentir une certaine sécurité et avoir l'assurance que j'allais vivre dans l'abondance. Maintenant, je me pose la question suivante : « Est-ce que la sécurité et l'abondance proviennent d'un travail de forcené (d'esclave) ? » Il est évident que la réponse est non. Pourquoi ? Chacun d'entre nous commence la semaine avec 168 heures en banque. Comment se fait-il qu'avec le même nombre d'heures certaines personnes gagnent mille dollars par semaine et d'autres un million ? Conclusion : l'abondance et la sécurité ne découlent pas du nombre d'heures travaillées.

Combien de gens connaissez-vous qui travaillent des heures à n'en plus finir et qui ne vivent absolument pas dans la sécurité et l'abondance désirées ? Donc, prenez l'une de vos croyances et demandez-vous :

> **QUEL BÉNÉFICE EST-CE QUE JE RETIRE DE CETTE CROYANCE ?**

● ● ● ● ● ● ● ● ● ● ● ● ● ● ● ● ● ● ● ●

Cela me rappelle l'histoire d'une jeune femme qui avait peur de passer sur un pont. Elle était certaine qu'elle allait tomber à l'eau. Pour elle, il était impossible de traverser un pont sans problème. Donc, dès qu'elle se trouvait près d'une rivière et qu'elle savait qu'elle devrait la franchir, la panique, l'angoisse et la peur l'envahissaient.

Elle décide alors de voir un psychologue. Il lui demande : «Quels sont les bénéfices pour vous de cette croyance selon laquelle vous ne pouvez pas monter sur un pont?» Elle a répondu qu'elle faisait pitié, qu'elle attirait l'attention des gens autour d'elle et qu'ils se sentaient obligés de l'aider. Maintenant, quel bénéfice retire-t-elle d'avoir l'attention des autres? Elle se sent importante, car lorsqu'elle était jeune, on prenait soin d'elle quand elle était en état de panique et incapable de faire certaines actions.

Le psychologue lui a ensuite demandé : «Est-ce que cette croyance est positive dans votre vie?» Elle s'est alors rendu compte que non, qu'elle ne l'était pas et même qu'elle l'empêchait de devenir une personne autonome, ce qu'elle voulait être.

Il est très important de prendre conscience des croyances limitatives qui nous empêchent de vivre la vie que nous voulons vivre et de les transformer en croyances positives.

● ●

Exercice
Transformez une croyance limitative
en croyance épanouissante

Écrivez une croyance limitative et la croyance épanouissante correspondante. Par exemple :

Croyance limitative	Croyance épanouissante
La vie est un combat quotidien.	La vie est un grand jeu qui m'apporte chaque jour son lot de plaisirs.

Vous constaterez alors qu'une petite voix à l'intérieur de vous dit : «Ce n'est pas vrai, regarde les problèmes que tu as.» Refaites l'exercice en ajoutant ce que cette voix affirme. Répétez-le une dizaine de fois par jour (disons cinq fois le matin et cinq fois le soir) pendant vingt et un jours de suite. Vous verrez alors que la voix intérieure change de croyance pour devenir de plus en plus en accord avec votre affirmation. Vous deviendrez peu à peu cette personne dont la vie est un grand jeu qui chaque jour lui apporte son lot de plaisirs.

Prenons un autre exemple. Imaginons que votre croyance est la suivante : «Être en couple, c'est agréable au début, mais c'est de plus en plus difficile avec le temps.» Écrivez alors : «Un couple, c'est fait pour vivre en harmonie dans le respect, l'amour et le laisser-vivre.» Votre petite voix ripostera en affirmant quelque chose comme : «Ce n'est pas vrai, regarde les conflits que tu vis actuellement.» Réécrivez : «Un couple, c'est fait pour vivre en harmonie dans le respect, l'amour et le laisser-vivre.» Écoutez votre voix intérieure et notez ce qu'elle vous dit. Vous verrez qu'avec le temps votre croyance deviendra épanouissante. En changeant vos croyances limitatives pour des croyances épanouissantes, vous pourrez avoir la vie que vous avez toujours espérée, et de moins en moins de pensées négatives vous envahiront l'esprit tous les jours.

● ●

L'image de soi

Vos croyances viennent de l'image que vous avez de vous-même, de la façon dont vous vous percevez. Mais d'où provient cette image de soi ? Elle est le résultat de nos expériences passées. Celles-ci *ne nous ont pas fait être* la personne que nous sommes, elles *nous ont fait croire* que nous sommes la personne que nous sommes, et ce, à force de répétition. Je suis donc devenu la personne que je suis aujourd'hui sans être vraiment cette personne !

Qui êtes-vous ? Quelles sont vos qualités ?

Durant les formations que je donne, je demande souvent aux participants d'écrire cinq de leurs qualités en trente secondes. La majorité des gens ont de la difficulté à y arriver ; ils en nomment deux ou trois, puis ils bloquent. Nous avons du mal à reconnaître nos qualités, à reconnaître qui nous sommes.

Cela me rappelle une histoire. Le cardinal Léger se présente dans un asile psychiatrique. Il demande à un patient alité : « Comment t'appelles-tu ?

— Et toi, comment t'appelles-tu ?

— Je suis le cardinal Léger.

— Ah oui, moi aussi, ça a commencé comme ça !

— Mais, et toi, comment t'appelles-tu ?

— Je suis Napoléon Bonaparte lui-même.

— Qui t'a dit cela ?

— C'est le bon Dieu lui-même. »

Un autre patient, couché à quelques lits plus loin, dit : « Ce n'est pas vrai, je n'ai jamais dit cela. »

C'est ce qui s'appelle ne pas savoir qui on est.

Beaucoup d'entre nous ont été éduqués en se faisant rappeler leurs mauvais coups plutôt que leurs réussites. Avec le temps, ils ont développé une image négative d'eux-mêmes, et je crois que pour être heureux, nous devons nous construire une image positive.

Apprenez à reconnaître votre valeur

J'ai lu un livre dernièrement : *Nouvelle Terre*[1]. L'auteur affirme que toute notre vie, nous jouons des rôles. Par exemple, personnellement, j'ai joué celui d'un enfant, d'un joueur de contrebasse, d'un étudiant, d'un travailleur, d'un amant, d'un époux, d'un conférencier, d'un père, d'un conjoint, etc.

Nous faisons tous de même. Eckhart Tolle nous demande : « Mais quand donc allez-vous jouer votre propre rôle ? » Être capable d'être soi-même, sans masque, sans artifice, être simplement soi... Pour cela, nous devons apprendre à nous aimer, à aimer la personne que nous sommes ; être contents de ce que nous sommes, être notre propre parent et reconnaître notre

---

1. Eckhart Tolle, *Nouvelle Terre : l'avènement de la conscience humaine*, Éditions Ariane, 2006.

grand potentiel. Est-ce que vous réalisez qu'à sa naissance un bébé possède déjà un immense potentiel? Il a tout ce qu'il faut pour être heureux. D'ailleurs, il l'est en venant au monde. Avez-vous déjà vu un enfant en sortant du ventre de sa mère se tourner vers le médecin et lui faire une grimace parce qu'il n'était pas content? Un bébé, c'est positif en naissant.

J'ai la chance d'être quatre fois grand-père. C'est extraordinaire comme ces enfants m'enseignent le bonheur de vivre. Je les ai vus apprendre à marcher. Une fois qu'on les met debout, ils transfèrent tout leur poids sur un pied. Ensuite, ils avancent le pied libre vers l'avant et le déposent. Puis, ils n'ont qu'à transférer le poids sur ce dernier et à faire à nouveau avancer le pied libre. C'est ainsi qu'ils exécutent leurs premiers pas et qu'ils rendent tous ceux autour d'eux fous de joie.

Lors du transfert de poids, il y a parfois un déséquilibre; l'enfant tombe, face contre terre. Avez-vous remarqué ce qu'il fait: il se relève et essaie à nouveau. Il retombe? Il se relève encore, il persévère. Combien de temps va-t-il le faire? Jusqu'à ce qu'il sache marcher.

Est-ce que c'est ça qu'on appelle quelqu'un de positif, de persévérant, de tenace, de motivé, qui a une vision et est capable de s'adapter? Eh bien, nous avons tout cela à l'intérieur de nous. Nous sommes venus au monde avec ces talents. Vous avez toutes ces qualités à l'intérieur de vous. La preuve? Vous marchez!

Mais ce qui me surprend le plus, ce sont les parents. L'autre jour, une de nos filles est venue à la maison avec son fils. Il avait des bleus au front. Ma femme et moi lui avons demandé: «Que s'est-il passé?» Elle nous a répondu: «Il a fait quatre pas tout seul. Viens, Enzo, on va montrer ce que tu sais faire à nanni et à grand-papa.»

Elle le met debout. Je me place devant lui, puis on l'encourage à venir vers moi. Après un pas, il tombe. Sa mère le remet immédiatement debout et l'encourage. Un pas, deux pas : il chute encore. Elle le remet sur ses pieds : « Enzo, va vers grand-papa. » Moi, je joue le jeu : « Allez, Enzo, viens voir grand-papa. »

Finalement, de peine et de misère, il réussit à venir me rejoindre. On l'applaudit et on le félicite de ce qu'il a fait. Je me suis alors demandé pourquoi, à partir d'un certain âge, on va plutôt lui dire : « Fais attention, n'essaie pas cela, c'est dangereux ! » Pourquoi est-ce qu'on lui impose tant de limites ? Pourtant, le petit a tout le potentiel pour réussir.

Cela me rappelle l'histoire d'un homme qui va au cirque. À la fin de la représentation, il se dirige à l'arrière-scène pour voir comment ça se passe. Il remarque que les éléphants ne sont retenus que par un petit pieu et une simple corde. Il s'adresse à l'entraîneur : « Cela n'est pas très sécuritaire, ils peuvent facilement arracher ce pieu et prendre la poudre d'escampette. » L'homme lui répond : « Absolument pas, car lorsque les éléphants de cirque sont bébés et qu'ils commencent à marcher, on leur attache au pied une corde reliée à un pieu solidement fixé en terre. Lorsqu'ils courent et se rendent au bout de la corde, ils tombent. Bien entendu, ils essaient de nouveau et ils obtiennent le même résultat ! »

Chaque éléphant entraîné ainsi comprend peu à peu que quelque chose le retient. Avec le temps, lorsqu'il se met à courir, il s'arrête de lui-même avant d'arriver au bout de la corde, car il sait qu'il est retenu. Son cerveau a enregistré l'information.

On a tous une corde. La vôtre est de quelle longueur ? On a tous des limites. Les gens heureux sont capables de dépasser les leurs pour vivre la vie qu'ils souhaitent et pour ainsi réaliser leur plein potentiel.

Cela me rappelle quelque chose que j'ai entendu dernièrement. Un conférencier tenait dans ses mains un billet de 20 $. Il demande aux participants intéressés à l'avoir de lever la main. Tout le monde le fait. Il prend alors le billet dans ses mains et le froisse : «Qui est toujours intéressé à avoir ce billet?» Tout le monde lève la main. Il lance alors la coupure par terre, saute dessus, l'écrase avec son pied. Puis, il demande de nouveau aux gens : «Qui est toujours intéressé à venir chercher ce billet?» Encore une fois, toute la salle manifeste son intérêt. Il demande enfin : «Pourquoi êtes-vous toujours intéressés à obtenir ce billet? Parce que même si je l'ai froissé et que je l'ai lancé par terre, il n'a jamais perdu de sa valeur. Il vaut toujours 20 $.»

C'est exactement la même chose pour chaque être humain, peu importe comment il a été traité. Même si on vous a frappé, humilié, froissé, jeté aux ordures, vous avez toujours la même valeur.

Les gens emploient souvent cette expression : «Je dois travailler mes défauts.» Je suggère plutôt de travailler vos qualités. Voici pourquoi :

> **PLUS VOUS NOURRISSEZ VOS QUALITÉS,**
> **PLUS VOS DÉFAUTS VONT MOURIR DE FAIM.**

● ●

Exercices
L'inventaire de vos qualités

À partir de la liste ci-dessous, relevez cinq qualités qui reflètent votre personnalité.

- ☐ Ambitieux
- ☐ Autonome
- ☐ Calme
- ☐ Confiant
- ☐ Conformiste
- ☐ Créatif
- ☐ Dévoué
- ☐ Diplomate
- ☐ Direct
- ☐ Discipliné
- ☐ Dynamique
- ☐ Économe
- ☐ Efficace
- ☐ Empathique

- ☐ Énergique
- ☐ Entregent
- ☐ Esprit d'équipe
- ☐ Extraverti
- ☐ Flexible
- ☐ Honnête
- ☐ Imaginatif
- ☐ Impulsif
- ☐ Indépendant
- ☐ Innovateur
- ☐ Intelligent
- ☐ Observateur

Maintenant, parmi les qualités que vous n'avez pas notées, choisissez-en cinq que vous aimeriez avoir ou améliorer. Par exemple, si vous avez tendance à abandonner vos projets avant de les terminer, il serait bon pour vous d'augmenter votre persévérance ou votre ténacité.

Cinq qualités que j'ai	Cinq qualités à travailler

● ●

Exprimez vos qualités

Chaque jour, faites l'inventaire de votre journée en utilisant le tableau qui suit. Par exemple, si vous reconnaissez que vous avez été négligent ou trop critique, colorez le côté gauche du carré de couleur noire. Si vous relevez un comportement positif, colorez le côté droit du carré de couleur rouge. À la fin du mois, vous serez en mesure de constater si vous avez agi de façon positive ou négative. Si vous notez que vous avez régulièrement un comportement négatif, trouvez la qualité correspondante et améliorez-vous constamment.

Chaque jour, prenez le temps de reconnaître les moments où vous avez été capable d'être la personne que vous désirez être. Plus vous connaîtrez vos forces, plus vous les améliorerez. N'oubliez jamais que vous avez tout ce qu'il faut en vous pour être heureux et réussir votre vie.

NÉGATIF																								POSITIF
Apitoiement																								Oubli de soi
Orgueil																								Humilité
Culpabilité																								Valorisation personnelle
Malhonnêteté																								Honnêteté
Impatience																								Patience
Haine																								Amour
Ressentiment																								Pardon
Se compliquer la vie																								Simplicité
Jalousie																								Confiance
Envie																								Générosité
Paresse																								Travail, effort, vigilance
Laisser-aller																								Empressement
Pensées négatives																								Pensées positives
Critique																								Marque d'appréciation
Indécision																								Discernement
Possessivité																								Détachement
Prendre au sérieux																								Humeur
Insécurité																								Sécurité
Fatigue																								Santé, vigueur
Peur, crainte																								Foi, confiance
Désespoir																								Espoir
Perfectionniste																								Progression
Déraisonnable																								Raisonnable
Non-acceptation																								Puissance
Peur de ses idées																								Acceptation
Tendu																								Dire son opinion
Insuccès																								Calme
Pauvreté																								Succès
Agressif en paroles																								Douceur
Ne pas lâcher prise																								Lâcher prise
Dévalorisation																								Valorisation
Timidité																								Assurance, audace
Anticiper l'avenir																								Moment présent

COULEUR NOIRE POUR NÉGATIF

COULEUR ROUGE POUR POSITIF

Comment fonctionne l'humain

Voici le mode de fonctionnement de l'humain.

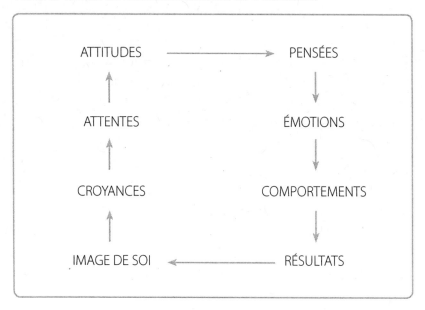

En résumé, nos attitudes créent nos pensées ; nos pensées affectent nos émotions ; nos émotions engendrent nos comportements ; nos comportements influencent nos résultats ; nos résultats confirment notre image de soi ; notre image de soi modifie nos croyances ; nos croyances agissent sur nos attentes ; nos attentes influent sur nos attitudes. Et voilà le travail !

Cela me rappelle une dame qui me disait : « Quand je vais manger au restaurant et que je porte une blouse blanche, je me tache toujours. » Pourquoi ? Lorsqu'elle quitte la maison pour se rendre au resto, vêtue de sa blouse blanche, son cerveau a en mémoire qu'elle se tache *toujours* lorsqu'elle met ce vêtement. Donc, sa pensée affecte son émotion, qui modifie son comportement, qui joue sur le résultat : elle se salit. Vous l'entendrez dire : « C'est bien moi, ça. Je le savais que je me tacherais ! » Souvent, les autres en rajouteront, en disant par exemple : « C'est ьien toi, ça. Là, on te reconnaît! Cette femme confirme son image, ce qui renforce ses croyances, nourrit ses attentes et, finalement, influence son attitude.

Bien des gens tournent en rond toute leur vie. Il s'agit donc d'apprendre à changer nos pensées, comme nous l'avons vu précédemment. Nous pouvons être à l'écoute de nos émotions négatives, de ce que nous ressentons et comprendre à quelles pensées ces attitudes sont reliées.

Nous pouvons aussi changer des comportements en répétant ceux qui suscitent en nous un sentiment de bien-être. Vous est-il déjà arrivé de vous lever le matin et de vous sentir dans une forme exceptionnelle, puis, le lendemain, d'être dans un état misérable? Analysez votre comportement lorsque vous vous réveillez et que vous êtes en forme. Faites-le aussi quand vous avez eu une bonne journée. Demandez-vous:

- Qu'est-ce que j'ai mangé hier soir?
- Qu'ai-je fait comme exercices dans la journée?
- Qui ai-je rencontré? Avec qui est-ce que je me suis senti bien?
- Est-ce que j'ai pris le temps de compléter une tâche, de faire une activité qui me plaît?

Dressez un bilan de ce que vous avez fait avant de vivre un bon moment, un succès, une journée agréable, et retenez ce qui fonctionne. Vous verrez qu'en le répétant ça marchera tout aussi bien. Il s'agit en quelque sorte de vous faire de petits rituels gagnants.

En 1997, j'ai eu l'occasion de prononcer une conférence devant le Groupe Jandec, dont le propriétaire était Robert Sauvé. Il représentait alors plusieurs joueurs de la Ligne nationale de hockey. À la fin de ma présentation, j'ai discuté avec certains d'entre eux, dont Patrick Roy et Vincent Damphousse. L'ex-gardien de but m'expliquait que chaque fois qu'il remportait un match, il revoyait tout ce qu'il avait fait dans sa journée et répétait les mêmes comportements tant et aussi longtemps qu'il gagnait. C'est ce que l'on appelle analyser son comportement positif pour obtenir plus de positif dans sa vie.

Je peux développer une image plus positive de moi-même en améliorant mes qualités.

Je peux changer mes croyances limitatives pour des croyances épanouissantes.

Je peux avoir des attentes positives par rapport à ma vie, à mes enfants, à mon travail, à mes amours.

Tout cela aura comme conséquences d'améliorer mon attitude et mes résultats.

L'inconfort du changement

Bien que plusieurs personnes comprennent l'importance du changement et qu'elles soient en mesure de voir qu'une situation dans laquelle elles se trouvent est insensée, elles continuent de faire les mêmes gestes et sont surprises d'obtenir les mêmes résultats. Combien de fois avez-vous entendu des gens dire : « Comment se fait-il que je me retrouve encore dans cette situation ? » ou encore « Ce que je vis, c'est du connu ».

Pour changer, cessez de répéter

Je lisais dernièrement la définition du mot « fou ». Un fou est quelqu'un qui a tendance à répéter les mêmes comportements en pensant obtenir des résultats différents.

Imaginons que vous désirez faire un gâteau aux carottes. Vous lisez la recette et vous la suivez minutieusement. Vous placez tous les ingrédients dans un bol, vous mélangez le tout, vous le versez dans un moule que vous mettez au four à la bonne température et durant le temps de cuisson prévu. Je vous garantis qu'à la fin vous aurez un gâteau aux carottes.

Les gens me disent : « Pierre, c'est évident ce que tu viens de nous expliquer. » Pourtant, certains pensent : « Je vais suivre une recette de gâteau aux carottes et je vais finalement avoir un gâteau aux bananes.» Ils se préparent une amère déception, ça je vous le dis! C'est simple, si vous suivez la même recette, vous aurez le même résultat.

Pourquoi avons-nous tant de difficultés à changer? Souvent, j'entends des personnes affirmer: «Lui, il n'a pas la volonté de changer, il n'a pas le courage» ou encore «Les gens en général ont peur du changement». Pourtant, combien parmi vous ont un jour cessé de fumer? Lorsque vous avez décidé de mettre fin à cette habitude, aviez-vous la volonté de le faire?

Au cours de votre vie, vous avez peut-être décidé de suivre un régime alimentaire. Après un certain temps, vous vous êtes possiblement retrouvé devant une poutine! Mais au moment où vous avez choisi de maigrir, aviez-vous la volonté de le faire? Eh oui! Ce n'est donc pas une question de volonté, c'est une question de *désir*. Vous aviez le désir de ne plus fumer, vous aviez le désir de maigrir: nous sommes des gens de désir.

Avez-vous le désir de changer?

Ai-je le désir de changer? Est-ce que j'accepte pour combler mon désir de sortir de ma zone de confort? La réponse semble tellement évidente, mais elle ne l'est pas. Tout le monde veut être heureux; pourtant, tout le monde n'est pas prêt à sortir de sa zone de confort. Rappelez-vous la chanson: «Tout le monde veut aller au ciel, oui mais personne ne veut mourir, personne ne veut mourir...»

Cela me rappelle une histoire. Un jour, Socrate, le grand philosophe de la Grèce antique, rencontre un jeune homme qui lui affirme: «Socrate, mon plus grand désir dans la vie est d'obtenir toutes les connaissances que vous possédez.» Le philosophe lui demande : « Es-tu certain que c'est là ton plus grand désir ? » Et le jeune de répondre oui.

Socrate l'invite donc à le suivre vers un lac qui se trouve dans les environs. Arrivés sur place, ils entrent dans l'eau jusqu'à la taille. Socrate lui redemande alors : « Es-tu certain que c'est ce que tu désires le plus ? » Le jeune lui répond d'un ton très affirmatif : « Oui, c'est ce que je veux. »

Le sage prend donc son disciple par la tête et la lui plonge au fond du lac. Le jeune se débat pour revenir à la surface, mais Socrate, qui était un homme fort, maintient sa tête sous l'eau. Après quelques minutes, voyant que le pauvre semble ne plus avoir d'air dans les poumons, il le lâche pour le laisser respirer. Après qu'il eut retrouvé son souffle, Socrate lui demande :

« Lorsque tu étais au fond du lac, quel était ton plus grand désir ?

— Respirer, dit le jeune.

— Eh bien, le jour où ton désir d'avoir toutes les connaissances sera aussi grand que ton désir de respirer, tu auras toutes les connaissances que tu désires », dit Socrate.

Dans le même ordre d'idées, le jour où votre désir d'être heureux sera aussi grand que celui de respirer, vous aurez tout le bonheur du monde. Le jour où votre désir d'arrêter de consommer sera aussi grand que celui de respirer, vous serez aussi sobre que vous le désirez. Le jour où votre désir d'être en paix avec vous-même et avec les autres sera aussi grand que celui de respirer, vous serez en paix avec tous ; et on pourrait décliner cette phrase à l'infini.

● ●

Exercice
Avez-vous un désir profond de changer?

Il m'arrive souvent de rencontrer des gens qui n'ont aucun désir ardent dans la vie. Ils vivotent, ils ne savent pas trop où ils vont. Je vous suggère de répondre aux questions suivantes. Elles vous aideront à contacter vos vrais désirs ou à reprendre contact avec eux.

• Quelles sont les cinq valeurs les plus importantes pour vous? Écrivez-les par ordre de priorité. Ce pourrait être, par exemple: l'honnêteté, la générosité, la compassion, le sens de l'effort, etc.

• Quels sont les trois rêves ou objectifs que vous poursuivez actuelle-ment?

• Que feriez-vous s'il vous restait six mois à vivre?

• Si vous gagniez un gros montant à la loterie, que feriez-vous de cet argent?

• Qu'est-ce que vous avez toujours eu envie de faire sans jamais oser le faire?

• Quelles sont les activités que vous avez faites et qui vous ont apporté le plus haut degré de satisfaction?

• Si vous pouviez réaliser un projet sans possibilité d'échec, lequel feriez-vous?

Prenez le temps de répondre à ces questions par écrit, vous aurez ainsi une bonne idée de quelques-uns de vos désirs ou même d'un seul qui vous tient vraiment à cœur. Le désir donne des ailes, souvenez-vous-en; mais il est important de le nommer pour qu'il agisse comme un moteur dans votre vie.

● ●

Apprenez à rebondir

De façon générale, le désir d'être heureux naît de la souffrance. N'est-il pas vrai que les grands changements de la vie surviennent après un divorce, une mortalité, une perte d'emploi? Lorsqu'on a frappé le fond, qu'on a «les dents dans l'asphalte», c'est là qu'on commence à remonter.

Quand j'étais jeune, j'avais intégré la croyance que pour être heureux, il fallait gagner beaucoup d'argent. Tous mes problèmes, pensais-je, provenaient d'un manque d'argent. Je gagnais 25 000 $ par année: c'était bien. «Comment voulez-vous être heureux», me disais-je? Pour cette raison, j'avais de la difficulté à dialoguer avec ma conjointe. Je me disais que le jour où je ferais le double de ce salaire, tout s'arrangerait.

Une fois l'objectif atteint, ça n'allait pas mieux. J'avais l'impression que ce n'était pas encore assez. J'ai donc compris que je devais faire autre chose pour être heureux.

Malgré mes revenus de plus en plus importants, je n'arrivais pas à trouver le bonheur, le bien-être. Je travaillais sept jours sur sept, je prenais rarement des vacances, ma tête était toujours au travail. J'ai fonctionné à ce train d'enfer pendant plusieurs années. Des gens me rencontraient et me disaient: «Monsieur Montpetit, vous m'avez tellement aidé, vous avez changé ma vie. Aujourd'hui, j'ai celle que je désirais depuis longtemps.» Dans ma tête, je pensais: «Répétez-moi ce que je vous ai dit, car rien ne va dans ma propre vie.»

Ma conjointe de l'époque me conseillait d'aller chercher de l'aide, car j'étais en train de rendre tout le monde fou autour de moi. Ma fille ne voulait plus venir à la maison, je n'avais plus d'amis, je ne voyais plus ma famille, j'étais toujours en voyage, seul, dans des chambres d'hôtel à pleurer et à me demander ce qui n'allait pas. Même si j'étais matériellement comblé, j'avais un sentiment de vide en moi, un trou béant était toujours présent.

Ce qui devait arriver arriva. Cela faisait plusieurs jours que je ne dormais plus et que je roulais à fond. Un soir, à Saint-Hyacinthe, j'étais dans ma chambre d'hôtel. Je me suis mis à genoux et j'ai demandé à mon père, qui était décédé à ce moment-là, de m'aider, lui disant que je n'étais plus capable de vivre cette vie. J'étais au bout du rouleau, j'avais touché le fond. J'étais prêt à changer, j'avais un désir sincère de changer. C'est à partir de ce moment (mais seulement de ce moment!) que tout a commencé à s'améliorer dans mon existence.

Dans le monde entier, plusieurs associations anonymes dont la philosophie repose sur douze étapes aident les individus ayant diverses dépendances : à l'alcool, aux drogues, au jeu, à la nourriture, au sexe, à l'amour, au travail, etc. Ces groupes imposent une seule condition à leurs membres : avoir le désir de changer. Et ce désir vient souvent après qu'on a touché le fond.

> **LE DÉSIR DE CHANGER VIENT LORSQUE LA SOUFFRANCE A LÉGÈREMENT DÉPASSÉ L'ORGUEIL.**

C'est exactement ce qui s'est passé dans mon cas. J'ai eu, à cause de la souffrance, l'ouverture d'esprit nécessaire pour demander de l'aide et écouter les autres. Une fois au fond du baril, l'ouverture s'est faite. Si vous voulez changer votre vie, vous n'êtes pas obligé d'atteindre un tel état, mais mon expérience et celle de milliers de personnes que j'ai rencontrées me prouvent que c'est souvent ce qui se produit.

Il y a quelque temps, dans un journal, une femme racontait qu'elle avait une vie heureuse, une belle famille. Par un bel après-midi, alors qu'elle travaillait dans son jardin, elle s'est fait piquer par une abeille. Aussi étonnant que cela puisse paraître, elle ne savait pas qu'elle était allergique ; elle a donc continué à bêcher le sol. Après quelques minutes, elle s'est sentie mal, très mal, et elle a décidé de se rendre à l'hôpital. Une fois sur place, on lui a injecté de l'épipen, un médicament contre les allergies, mais il était un peu tard et le médicament ne faisait pas effet. Couchée sur une civière, ne pouvant plus réagir, elle a senti que les médecins étaient inquiets : il y avait de la panique autour d'elle. Alors, pour une raison inconnue, le médicament a lentement commencé à faire effet et elle est revenue à la normale. À la suite de cette expérience, elle a pris conscience de l'importance de sa famille et de ses amis. Elle résumait son histoire en disant à quel point elle lui avait permis de mettre ses valeurs à la bonne place.

Le bas-fond peut donc être différent d'une personne à l'autre ; il se présente aussi au moment où on s'y attend le moins. Mais lorsque nous ne sommes « plus capables », le changement survient, car nous avons en nous toutes les ressources pour passer à travers toutes les situations auxquelles nous sommes confrontés.

Face à l'adversité

Laissez-moi vous raconter une histoire. Un jour, une jeune femme rend visite à sa mère autour du jour de l'An. Elle lui parle de sa vie, de ses problèmes, lui racontant à quel point elle a de la difficulté à passer à travers la récession. Elle ne sait pas comment elle va s'en sortir, dit-elle, et elle envisage le pire. Elle a envie de tout abandonner : elle est tellement fatiguée de se battre continuellement. Elle a l'impression que lorsqu'un problème est résolu, un nouveau se présente et, avec l'année qui commence, elle est découragée.

Sa mère lui dit de la suivre à la cuisine. Elle remplit trois casseroles d'eau et les place sur les ronds de la cuisinière à feu élevé. L'eau se met à bouillir rapidement. Dans la première casserole, la mère ajoute des carottes. Elle dépose des œufs dans la deuxième, tandis que dans la troisième, elle jette des grains de café moulu. Elle laisse le tout bouillir sans dire un mot.

Après quelques minutes, elle ferme le feu. Elle égoutte les carottes et les place dans un bol. Elle retire les œufs de l'eau et les met dans un autre bol. Finalement, elle vide le café dans un troisième bol. Se tournant vers sa fille, elle lui dit :

« Dis-moi ce que tu vois.

— Des carottes, des œufs et du café », répond cette dernière.

Sa mère lui demande de se rapprocher des carottes. La fille note qu'elles sont molles. La femme lui demande ensuite de prendre un œuf et de briser la coquille. La fille observe alors que l'œuf est dur. Finalement, la mère demande à son enfant de goûter au café. Celle-ci sourit en savourant l'arôme riche de la boisson chaude, puis dit : « Qu'est-ce que ça signifie, maman ?

Sa mère lui explique que chacun de ces objets a fait face à la même adversité : de l'eau bouillante. Chacun a réagi différemment. Les carottes sont arrivées à la casserole fortes et dures. Cependant, après avoir été soumises à l'eau bouillante, elles se sont ramollies et sont devenues faibles. Les œufs étaient fragiles. Leur coquille mince protégeait leur liquide intérieur, mais après avoir passé du temps dans l'eau bouillante, ils se sont durcis. Les grains de café moulu étaient uniques, quant à eux, mais après avoir été soumis à l'eau bouillante, ils ont changé la composition même de l'eau.

« Lequel veux-tu être ? lui demande sa mère. Quand l'adversité frappe à ta porte, comment réagis-tu ? Préfères-tu être une carotte, un œuf ou un grain de café ? »

Suis-je un œuf qui commence sa vie avec un cœur malléable et qui change quand la situation se réchauffe? Ai-je un esprit lucide, mais, lorsqu'une difficulté se présente, je deviens plus dur et fermé? Suis-je amer et dur, avec un esprit rigide et un cœur de pierre? Suis-je une carotte, forte et fière, qui s'est ramollie chaque fois que j'ai dû faire face à des défis? Ou suis-je un grain de café? Ce grain, en fait, modifie l'eau. C'est la circonstance qui suscite la douleur. Lorsque l'eau se réchauffe, le grain relâche sa fragrance et sa saveur. Est-ce que, tout comme lui, je deviens meilleur et je change quand les conditions se modifient autour de moi?

- Quand les temps sont sombres et que les difficultés sont grandes, est-ce que vous vous élevez à un autre niveau?

- Comment gérez-vous l'adversité?

- Agissez-vous comme une carotte, un œuf ou un grain de café[2]?

En réalité, nous sommes tous des grains de café, nous avons tout ce qu'il faut à l'intérieur de nous.

Imaginons que votre enfant est en train de jouer dans sa chambre et que, tout à coup, vous apercevez de la fumée passant sous sa porte. Ce que vous ne savez pas, c'est qu'il jouait avec des allumettes et qu'il a mis le feu. Vous vous dirigez immédiatement vers la chambre et vous ouvrez la porte, mais votre enfant a bien pris soin de la fermer à clé. Vous lui demandez de l'ouvrir, mais il refuse.

Qu'allez-vous faire? Rien? La porte est verrouillée, il ne veut pas l'ouvrir, donc il va brûler? Sûrement pas! Vous allez ouvrir cette porte. Peu importe votre force physique, vous allez l'ouvrir! Réalisez-vous que toute cette force qui se trouve

---

2. Tiré du site Success Academia intl.

en soi, on la reconnaît seulement une fois qu'on est face à l'adversité ?

Je me rappelle l'histoire d'un couple qui revenait d'une soirée. Il était tard dans la nuit. Pressé d'arriver à la maison, l'homme filait à trop grande vitesse. Manquant une courbe, la voiture faisant plusieurs tonneaux, il est éjecté de son véhicule et se retrouve dans le champ : il a plusieurs blessures.

Tentant de retrouver sa femme, il tourne la tête et la voit, emprisonnée sous le véhicule. L'essence coule sur son corps. Il prend conscience que s'il ne la sort pas de cette fâcheuse situation immédiatement, elle va mourir. Il se lève, se rend à la voiture, l'agrippe, la soulève, et sort sa femme de là.

À l'hôpital, on se rend compte que l'homme souffre de plusieurs fractures. Comment a-t-il fait pour soulever une voiture dans de telles conditions ? Il a trouvé cette force à l'intérieur de lui. Lorsque nous sommes face à l'adversité, des ressources inconnues peuvent nous aider, mais nous devons avoir un désir très fort de changement.

Je me souviens d'une entrevue que j'ai écoutée à la télévision. Une mère racontait qu'elle avait dû mettre à la porte sa fille qui avait des problèmes de drogue, après avoir tout essayé pour l'aider à s'en sortir. Elle l'avait inscrite à plusieurs thérapies, avait payé des psychologues, elle avait tenté de l'empêcher de prendre ces substances à la maison, elle avait cessé de lui donner de l'argent. Rien à faire : son enfant retombait toujours dans la drogue, leur causant toutes sortes de problèmes.

Un jour, sa mère lui a dit : « Tu quittes la maison, et le jour où tu en auras assez de cette vie et que tu seras prête à te prendre en main, appelle-moi. » Un jour, après quelques années de silence, le téléphone a sonné. Sa fille, au bout du fil, lui a dit : « Je ne suis plus capable, j'ai besoin d'aide. » Lors de l'entrevue, elle était sobre depuis un long moment déjà. Pourquoi cela a-t-il fonctionné? Parce qu'elle a eu le désir sincère et profond de changer.

Si vous avez une personne autour de vous aux prises avec des problèmes de ce genre, priez pour qu'elle atteigne le fond le plus rapidement possible, afin que quelque chose change.

> **SI VOUS MENEZ À L'ABREUVOIR UN CHEVAL QUI N'A PAS SOIF,**
> **IL NE BOIRA PAS, TOUT SIMPLEMENT.**
> **S'IL N'A PAS LE DÉSIR DE BOIRE, IL N'Y A RIEN À FAIRE.**

La gratitude

Bien que nous possédions tout en nous-mêmes pour être heureux, nous avons souvent tendance à nous attarder à ce que nous n'avons pas au lieu de voir ce que nous avons.

Soyez positif et parlez positivement

Écoutez les gens parler. Ils ont souvent tendance à dire ce qu'ils ne veulent plus au lieu de nommer clairement ce qu'ils désirent, ce qu'ils aimeraient. Nous avons tous cette tendance : vous et moi aussi, pas seulement les autres.

Vous rencontrez un ami qui vous raconte qu'il a fait la connaissance d'une femme dernièrement. Vous lui demandez de quoi elle a l'air : «Elle n'est pas laide...» Comment ça : elle est belle ou laide? Vous croisez quelqu'un que vous n'avez pas vu depuis un certain temps ; vous m'en parlez, je le connais aussi. Je vous demande : «A-t-il changé?» Vous me répondez : «Bien, il n'est pas p'tit...» Donc, il est gros ! Pourquoi ne pas dire les choses comme elles sont : elle est belle, il a grossi.

L'automne dernier, j'ai téléphoné chez un concessionnaire automobile pour faire installer mes pneus d'hiver. Je demande au préposé quand je peux passer : «Pas avant deux semaines.»

C'est quand même incroyable ! Je vérifie quand je peux passer et il me répond quand je *ne peux pas* passer. Il aurait dû me suggérer : Monsieur Montpetit, j'ai de la place les 5 et 6 décembre, à telle heure. » J'aurais probablement dit : « Vous n'avez pas de place avant ? (On était le 22 novembre.) Il aurait pu me répondre : « Actuellement, j'ai ces dates et, comme les places partent assez vite, préférez-vous réserver le 5 au matin, ou le 6 vous convient-il mieux ? » J'aurais pu conclure : « Je viendrai le 6 à 10 h. »

● ●

Exercices
Je nomme ce qui est positif

Il y a quelques années, un conférencier nous avait proposé un petit exercice pour nous faire prendre conscience de toujours dire ce que l'on veut au lieu de ce que l'on ne veut pas.

Chaque fois que vous aurez une pensée, avait-il dit, imaginez que je suis au-dessus de votre épaule et que je vous demande : « Est-ce que c'est vraiment ce que tu veux ? » Si la réponse est oui, bravo ; si la réponse est non, changez votre pensée pour ce que vous voulez.

● ●

Pensez en mode positif

Les gens disent : « J'espère ne pas être malade ! » Est-ce ce que vous voulez ? Non ? Alors, changez votre pensée ! On m'a déjà démontré que le cerveau ne comprend pas la négation. Pensez à votre animal préféré, sauf un lapin. Ne pensez pas à un lapin. Vous pouvez penser à n'importe quel animal, sauf à un lapin. Avez-vous vu l'image d'un lapin dans votre cerveau ? Pourtant, j'ai bien écrit de *ne pas* penser à un lapin. Le cerveau ne comprend pas la négation. Assurez-vous donc que ce que vous dites est précisément ce que vous voulez. Votre vie sera alors pleine des choses que vous voulez vraiment.

• •

Appréciez ce que vous avez

Prendre le temps d'apprécier ce qu'on a n'est pas évident. D'ailleurs, est-ce que c'est ce que nous enseignons à nos enfants ? La veille de Noël, ma femme et moi invitons toujours les enfants à la maison pour un souper et pour la distribution des cadeaux. Comme nous avons trois filles, autant de gendres et quatre petits-enfants, des cadeaux, il y en a à profusion ! Le plancher du salon en est couvert. Lorsque vient le temps de les distribuer, nous commençons toujours par les tout-petits. Comme grands-parents, nous nous assurons toujours d'acheter quelque chose qui va plaire ; nous questionnons l'enfant et ses parents.

Lors de leur premier Noël, les petits ne comprennent pas encore tout à fait le principe. Quand on donne à un enfant son premier cadeau, bien entendu, il veut le déballer pour jouer immédiatement. Ce qu'il ne sait pas, c'est qu'il ne peut pas s'amuser avec son jouet tout de suite, car un autre va suivre. On essaie de lui enlever celui qu'il a dans les mains, mais il le tient très fermement : « Donne le cadeau à grand-papa. Regarde, il y en a un autre pour toi. » Mais rien à faire. En tirant assez fort, on réussit à le lui enlever et on lui en met immédiatement un autre dans les mains. Et le même scénario se répète : il veut jouer avec son jeu, mais il ne peut pas parce qu'il y en a encore un autre à venir. Bon, j'avoue, on les gâte un peu !

Lorsque les enfants en sont à leur troisième ou quatrième Noël, ils ont compris le fonctionnement. Quand le premier cadeau est déballé, ils demandent le suivant, et ainsi de suite...

Quand on atteint 20 ans, on est déjà un peu blasé par les cadeaux de Noël; arrivé à 40 ans, on a de la difficulté à apprécier la moto, l'auto, la maison; à 60, on veut le chalet, la grosse maison, le condo dans le Sud... C'est alors qu'on réalise qu'on est encore insatisfait et toujours à la recherche de quelque chose. On oublie d'apprécier ce que on a: c'est ce qu'on appelle avoir de la gratitude.

Dire merci. Dire merci à qui, me direz-vous? Pourquoi pas à la vie, à l'univers, à Dieu, à l'énergie, à une puissance supérieure, à Bouddha, à Allah... Appelez-le comme vous voulez, mais dites merci! Il est important de goûter ce que nous avons.

Tous les matins, au réveil, je prends le temps de dire merci pour la journée que je vais passer, pour les gens que je vais rencontrer, pour les expériences que je vais vivre: je dis merci à l'avance.

Quelqu'un m'a déjà dit que pour qu'un foyer donne de la chaleur, je dois d'abord y déposer du petit bois et du papier, y mettre le feu, puis ajouter des bûches. Là, j'aurai de la chaleur. Mais avant que j'obtienne une seule flamme, je dois avoir confiance qu'en faisant tout cela j'aurai de la chaleur. Pour moi, c'est ça, dire merci à l'avance. En disant merci avant que les événements se produisent, j'ai confiance en la vie, je sais qu'elle sera bonne pour moi et, généralement, c'est ce qui se passe. Et si je vis quelque chose de difficile, je dis merci pour le défi et j'essaie de comprendre l'apprentissage que je dois faire grâce à cet événement.

Ma femme utilise l'expression suivante: «La vie ne nous envoie pas des messages sur des feuilles 8 ½ × 11; ils proviennent des gens et des événements que je vis, chaque jour.»

Lorsque je cultive la gratitude, j'ai davantage de raisons d'être dans la gratitude et de plus en plus de belles choses m'arrivent. Lorsque je regarde et cultive les manques, c'est incroyable tout ce qui me manque, je suis toujours dans l'insatisfaction.

J'ai réalisé que les gens heureux possèdent la capacité de dire merci et d'apprécier ce qui survient dans leur vie. Comme dans l'exemple d'un bon feu de foyer, ils comprennent que plus vous donnez, plus vous recevez; plus vous êtes attentif à ce que vous faites, plus vous y mettez de bûches et plus gros sera votre feu.

Donner, c'est recevoir

> **TU VEUX PLUS DE BONHEUR, DONNE DU BONHEUR AUTOUR DE TOI, UN SOURIRE, UN MOT D'ENCOURAGEMENT À QUELQU'UN QUE TU NE CONNAIS PAS.**

Souvent, lorsque je magasine, je dis bonjour à des gens que je ne connais pas. Certains m'arrêtent pour me demander une information sur les produits vendus là où nous nous trouvons. Vous devriez voir leur visage lorsque je leur réponds que je ne suis pas vendeur : ils se demandent probablement pourquoi je leur ai dit bonjour, alors qu'on ne se connaît pas. D'autres me font un sourire : ils reçoivent un bonjour, ils donnent un sourire en retour.

> **TU VEUX PLUS D'ARGENT, DONNES-EN.**

Souvent, lorsqu'on parle d'argent, les gens deviennent sceptiques. Cela me rappelle l'histoire d'un homme extrêmement riche qui n'avait aucun héritier. À plus de soixante-dix ans, il a décidé de distribuer sa fortune. Chaque fois qu'il en avait l'occasion, il donnait un peu de son argent pour aider une cause ou une autre. Lorsqu'il est mort, dix ans plus tard, il était plus riche qu'au moment où il avait décidé de faire don de ce qu'il possédait. Plus tu donnes, plus tu reçois.

TU VEUX PLUS D'AMOUR, DONNES-EN.

Il y a quelques années, j'entendais un conférencier expliquer la différence entre l'amour et l'affection. Il disait que l'amour est un sentiment que nous avons pour quelqu'un, par exemple nos enfants. Ceux parmi vous qui sont parents savent que dès qu'ils viennent au monde on les aime de façon inconditionnelle. Peu importe ce qu'ils font, on les aime.

L'autre jour, un de mes petits-enfants téléphone à ma femme et moi pour nous dire qu'il venait de faire pipi dans son petit pot! Nous étions tout excités. Nous l'avons félicité et encouragé à continuer. À un moment, j'ai pensé qu'on perd peut-être trop le sens du merveilleux et de l'étonnement face aux autres, à ce qu'ils font de leur vie, aux percées qu'ils réussissent. Je ne vais pas vous suggérer d'appeler votre conjoint et de lui annoncer que vous venez de faire pipi aux toilettes du bureau; c'est sûr qu'il va se demander ce que vous voulez lui communiquer ainsi! Mais on peut quand même prendre le temps de se questionner: «Est-ce que, dans ma vie, je n'aurais pas perdu le sens du merveilleux? Est-ce que je prends le temps de m'arrêter pour voir à quel point la vie est belle et bonne pour moi? Est-ce que je m'étonne encore positivement de ce que mes proches réussissent et de leurs petites joies?»

L'amour est un sentiment que nous avons pour nos enfants, nos conjoints, notre famille, nos amis, etc.

Exprimez vos sentiments

Lorsque j'ai connu ma conjointe actuelle, il y a dix ans aujourd'hui, après quelques semaines de fréquentations, je lui ai dit que je l'aimais. Eh bien, j'ai réalisé que je dois le lui redire! Je crois qu'elle est atteinte de la maladie d'Alzheimer affective. À certaines périodes, elle me le demande plusieurs fois par semaine : «M'aimes-tu?» Invariablement, je lui réponds : «Oui, je t'aime, je te l'ai dit il y a une semaine.» J'ai souvent de la difficulté à dire «Je t'aime», pourtant c'est une toute petite phrase qui rassure tellement et qui exprime ce qu'on ressent. Prenez le temps de le dire aux gens que vous aimez, vous verrez que ça leur réchauffe le cœur.

La seule fois que j'ai dit à mon père que je l'aimais, il était décédé. C'était juste avant qu'on ferme le cercueil au salon funéraire : «Papa, je t'aime.» Je trouvais incroyable de n'avoir jamais pris le temps de le lui exprimer. Lui, il ne me l'a jamais dit non plus. Pourtant, je suis certain qu'il m'aimait. Cela ne faisait pas partie de ses habitudes.

À la suite de cette expérience, je me suis juré que je ne vivrais pas la même chose avec ma mère. Dix ans se sont quand même écoulés avant que je l'appelle pour le faire :

«Maman, je t'aime.

— Mais, qu'est-ce que tu as, tu es malade?

— Non, non, je veux juste te dire que je t'aime.»

Cinq minutes après cette conversation, mon téléphone a sonné. C'était ma sœur : «Tu as appelé maman? Elle est tout à l'envers, elle est certaine que tu as quelque chose de grave. Ça ne va pas?

— Non, je voulais juste lui dire que je l'aime.»

Quelques années plus tard, maman m'a écrit une lettre dans laquelle elle me disait: «Je n'ai peut-être pas été la mère dont tu avais besoin, mais je veux juste te dire que je t'aime et je crois que le plus beau cadeau qu'on peut donner à quelqu'un, c'est de lui dire ou de lui écrire qu'on l'aime.» De tous ceux que j'ai reçus d'elle, c'est en effet celui dont je me souviens le plus. Celui qu'elle m'a donné et celui que je lui ai donné.

> ## DONNE DE L'AMOUR ET TU EN RECEVRAS.

Prenez le temps de dire aux gens autour de vous que vous les aimez et n'attendez rien en retour. Plus vous donnerez, plus vous recevrez. Sachez que ce qu'on donne en abondance, on le reçoit en abondance: préparez-vous-y. Mais la question qu'il faut se poser est la suivante: «Suis-je prêt à recevoir en abondance?» Car la majorité des gens pensent petitement, ils croient qu'ils sont nés pour un p'tit pain!

Par exemple, vous croisez une connaissance et vous lui demandez ce qu'il a fait durant l'été: «J'ai pris une p'tite semaine de vacances, ça fait du bien. On s'est loué un p'tit chalet dans le Nord, sur le bord d'un p'tit lac. C'était vraiment beau! Il y avait une p'tite chaloupe, alors on en a profité pour faire des p'tits tours sur le lac. Le matin, on prenait notre p'tit-déjeuner sur le patio donnant sur le lac. Un soir, on s'est dit qu'on irait souper au restaurant, alors on a trouvé un p'tit restaurant sur une p'tite rue, près de la rue Principale. On a pris une p'tite bouteille de vin; on n'en prend jamais, alors on s'est dit qu'on allait s'offrir ça. J'ai même pris un p'tit dessert, alors que je n'en mange jamais. Après tout, une fois de temps en temps, c'est correct. On a fait une belle rencontre, on a parlé avec un p'tit couple bien gentil. Ils nous ont d'ailleurs invités à prendre un p'tit café à leur chalet, alors on a décidé d'y aller. Une belle p'tite place! Du monde ben fin. Madame nous a fait visiter les lieux. Elle nous a raconté qu'elle avait installé de nouveaux p'tits rideaux dans les fenêtres; ils avaient acheté le tissu dans un p'tit magasin du village. Mais l'heure avançait et il était temps qu'on parte, surtout qu'elle avait une p'tite robe très *sexy*, ce qui m'a donné le goût d'en faire une p'tite vite avec ma femme en arrivant à la maison.»

Eh bien, c'est des petites affaires, tout ça! Voir les choses en abondance. Être convaincu que l'on peut avoir du bonheur en abondance, de l'argent en abondance, de l'amour en abondance, du bien-être en abondance: c'est cela que nous donne la pratique de la gratitude. Les gens heureux ont appris à dire merci: merci avant et merci après; c'est comme ça que l'abondance s'installe dans leur vie.

 ## Quelques questions à vous poser

- Quelles sont les raisons pour lesquelles je peux avoir de la gratitude aujourd'hui?

- Est-ce que je remercie les gens quand ils me rendent service?

- Est-ce que j'exprime facilement mes sentiments positifs aux gens que j'aime?

- Suis-je conscient de ce que les gens font pour moi?

- Est-ce que je prends souvent le temps de signifier concrètement ma gratitude envers les gens?

● ●

Exercices
Je tiens un journal de gratitude

La psychologue Sonja Lyubomirsky a divisé un certain nombre de sujets en deux groupes. Au premier seulement, elle a proposé de tenir un journal de gratitude, c'est-à-dire un journal intime dans lequel ils devaient écrire une fois par semaine ce qui leur avait fait du bien durant les jours précédents. Elle a découvert sur une période de six semaines que les gens qui avaient appliqué la consigne avaient augmenté leur satisfaction globale face à la vie. Faites la même chose : une fois par jour, installez-vous et écrivez les raisons pour lesquelles vous êtes reconnaissant de votre journée. Vous verrez que les résultats ne se feront pas attendre.

● ●

Faites le compte des bénédictions de votre vie

Faites le compte de ce que vous possédez matériellement, de ce que vous vivez humainement et de ce que vous ressentez spirituellement. Pensez aux gens que vous aimez, à l'entraide qui existe entre eux et vous, à tout ce qu'ils vous apportent. Écrivez tout cela et relisez-vous souvent en y ajoutant de nouveaux sujets de gratitude.

● ●

Dites merci à la vie

Chaque soir, avant de vous endormir, dites merci à Dieu, à Bouddha, à Allah, à l'univers ou au Grand Esprit, selon vos croyances, pour cinq situations que vous avez vécues durant la journée. Quelqu'un vous a gentiment accueilli quand vous êtes arrivé au travail ; vous avez senti qu'on s'intéressait à ce que vous pensiez ; votre conjoint ou votre enfant vous a fait rire ; vous avez terminé un travail de longue haleine ; vous avez réalisé un profit ou payé une dette qui vous tracassait, etc. Qu'il s'agisse d'une action que vous avez provoquée ou du résultat de la chance, prenez le temps de dire merci : c'est une habitude amérindienne.

● ●

Écrivez une lettre de remerciement à une personne qui vous a fait du bien

Un proche vous a appris quelque chose d'important, vous a aidé, vous a remonté le moral, vous a fait un cadeau ? Prenez le temps de lui écrire un petit mot et de le lui remettre.

● ●

Tournez-vous vers les autres

Il existe beaucoup de livres, de CD, de DVD et une quantité de matériel pour nous aider dans notre développement personnel, mais c'est incroyable tout ce que l'on peut apprendre en écoutant l'expérience des autres. Les gens heureux ont compris qu'ils ne sont pas seuls sur cette terre et lorsqu'ils ont des difficultés, ils sont capables de demander de l'aide et de se tourner vers les autres. Voici une histoire que j'ai reçue par courriel, elle souligne l'importance d'être solidaire.

Un grand exemple de solidarité

Aux Jeux paralympiques de Seattle, neuf athlètes, tous handicapés mentaux ou physiques, étaient sur la ligne de départ pour la course du 100 m. Au signal, la compétition commence. Tous désirent participer et gagner. Ils courent par groupe de trois. C'est alors qu'un coureur tombe sur la piste, fait quelques culbutes et se met à pleurer. En l'entendant, les huit autres ralentissent et regardent derrière eux. Ils finissent par s'arrêter et rebrousser chemin... Tous ! Une athlète atteinte du syndrome de Down s'assoit à côté de lui, commence à le caresser et lui demande : «Ça va mieux, maintenant ?» Après quelques minutes, tous se tiennent par les épaules et marchent ensemble vers la ligne d'arrivée. Le stade entier s'est levé pour applaudir ;

les applaudissements ont duré très longtemps. Les gens qui ont vu ça en parlent encore.

La leçon qu'on peut en tirer est que l'important dans la vie n'est pas de seulement gagner mais aussi d'aider les autres à gagner, même si cela veut dire qu'on doit ralentir sa course.

Les encouragements

Cela me rappelle le 8 novembre 1970 : les New Orleans Saints disputent un match final contre les Lions de Détroit. Les New Orleans Saints ont le contrôle du ballon ; ils se trouvent à 63 verges de la ligne des buts ; il reste deux secondes au match. La seule façon de le remporter, c'est de faire un botté de placement qui leur donnera trois points, et la victoire. Mais un botté d'une telle distance, ça ne s'est jamais vu. Le record de Lerner est de 56 verges. L'entraîneur décide de tenter le tout pour le tout et envoie son joueur Tom Dempsy.

Ceux qui le connaissent savent que cet athlète est handicapé : il n'a pas d'orteils au pied droit, celui qu'il utilise pour botter. Tom s'installe sur le terrain, court quelques pas, frappe le ballon et réussit un botté de placement de plus de 63 verges !

À la fin du match, les journalistes lui demandent comment il a fait pour réussir cet exploit : « Je ne me suis jamais considéré comme un handicapé et lorsque je me suis levé du banc, tous les joueurs m'ont encouragé. Ils m'ont dit que je pouvais réussir. J'ai senti que j'avais une équipe derrière moi. »

À mon avis, c'est ça, se tourner vers les autres. Si j'avais été assis sur le banc ce matin-là et que j'avais vu le coach choisir Tom Dempsey, j'aurais probablement pensé : « Moi, j'aurais envoyé quelqu'un d'autre. » J'aurais choisi un joueur qui avait tous ses orteils afin de gagner trois pouces... Mais voyez-vous, je n'étais pas là ce matin-là. C'est une équipe qui était là. Et ses membres ont encouragé leur joueur. Même si Tom n'avait pas tout l'«équipement standard» d'un joueur de football, il faisait partie de l'équipe et tous se sont dit: «On gagne ou on perd avec lui.»

Voilà ce que c'est que de vivre avec les autres, ça veut dire se tourner vers eux. Prenez le temps d'encourager un coéquipier, un confrère ou une consœur de travail, un ami, un membre de votre famille ou toute personne qui vit une période difficile. Ayez confiance aux autres.

Un jour, j'ai cru que je pouvais m'organiser tout seul. J'avais le sentiment de n'avoir besoin de personne. Jamais je n'aurais osé demander de l'aide. Pendant une période de ma vie, j'ai déménagé plus de treize fois en onze ans. Je ne demandais pas un coup de main, car je ne voulais pas devoir quoi que ce soit à personne. J'étais centré sur moi. C'est cela qu'on appelle l'égocentrisme. L'égocentrisme consiste à concevoir le monde de son seul point de vue. C'est la tendance à tout ramener à soi, à se sentir le centre du monde. Si quelqu'un n'était pas d'accord avec moi, c'était un imbécile. J'avais le sentiment de détenir la vérité. Je disais souvent, le matin: «Dieu, tu peux aller te coucher, je suis debout, maintenant.»

Heureusement, la vie a fait qu'un jour j'ai dû demander de l'aide, car je n'y arrivais pas seul. C'est à ce moment-là que j'ai commencé à découvrir le pouvoir de se tourner vers les autres et que j'ai réalisé tout ce que je pouvais apprendre d'eux. Premièrement, leur faire confiance me permet de me déconnecter de mon nombril, de mes problèmes. J'ai compris que je ne suis pas seul à vivre certaines situations.

Je considère aujourd'hui que je suis un privilégié de la vie. J'ai une excellente santé, une belle conjointe exceptionnelle; nous avons des enfants desquels nous sommes très fiers ainsi que des petits-enfants adorables; j'ai une famille et une belle-famille pleines d'amour, un travail emballant et de très bons amis. Je m'aperçois que j'ai une vie exceptionnelle et que, pour qu'elle continue de s'améliorer, je dois remettre aux autres ce que j'ai reçu. Faites-vous la même chose?

Chacun son bénévolat

Personnellement, je suis heureux de faire du bénévolat auprès de l'organisme Mira, une association qui aide les gens aveugles à obtenir un chien-guide. Je vais dans les centres commerciaux ou dans les grands magasins avec une personne handicapée visuelle et je vends différents articles pour amasser des fonds. C'est incroyable ce que les non-voyants m'apportent. Premièrement, ils ont un bon sens de l'organisation et une façon très efficace de travailler. Les articles qui se trouvent sur la table sont disposés de façon stratégique afin que les vendeurs (qui sont aussi des non-voyants) soient en mesure de savoir où se trouve chacun d'eux. Ils m'apprennent aussi la confiance. En effet, ce sont des gens qui doivent faire confiance, en premier lieu à leur chien, car l'animal est leurs yeux, mais également aux gens avec lesquels ils travaillent. Ils pourraient facilement se faire voler de l'argent dans la caisse sans le voir. Quand ils me parlent de leurs rêves, de leurs ambitions, de l'importance de leur autonomie, du sens des responsabilités, ils me disent souvent à quel point la vie est belle.

> **NOUS SOMMES TOUS DES IGNORANTS,
> MAIS NOUS N'IGNORONS PAS TOUS LA MÊME CHOSE.**

Je peux vous dire qu'après ce moment passé en leur compagnie, j'en ressors plein d'énergie et d'enthousiasme. Ils m'aident à voir la vie de façon positive et les quelques petits problèmes que je peux avoir prennent de moins en moins d'importance. Lorsque j'ai fini ma journée, je dis merci à la vie.

> **LES TROIS MOTS LES PLUS DIFFICILES SONT :**
> **« J'AI BESOIN D'AIDE ».**

Si vous vivez une période difficile, tournez-vous vers les autres ; prenez le temps d'écouter un ami qui en a besoin, faites un don à une œuvre de charité ou à une personne qui manque de quelque chose, impliquez-vous dans un organisme. Trouvez comment vous allez pouvoir donner aux autres et vous pourrez très rapidement ressentir un sentiment de bien-être.

J'ai remarqué que les gens heureux n'ont pas peur de donner de leur temps et de leur énergie pour aider les autres. Ils ne sont jamais mal pris, il y a toujours quelqu'un pour les aider. Encore une fois, donnez et vous recevrez.

 ## Quelques questions à vous poser

- Cette année, de quelle façon est-ce que je prévois remettre à la société ce que je reçois ?

- Quels sont les actions, les événements, les activités dans lesquels je veux m'impliquer pour donner aux autres ?

- Dans quelle organisation vais-je prendre le temps de m'impliquer ? Quel est le rôle que je peux le mieux tenir ? Comment est-ce que je peux vraiment rendre service ?

- Est-ce que je prends le temps de vraiment écouter une personne qui a besoin de parler d'elle-même ?

- Est-ce que je me préoccupe de ce que je peux offrir pour qu'on ait tous le sentiment de vivre dans un monde plus heureux ?

- À qui ai-je dit un mot d'encouragement au cours des derniers jours?

●●●●●●●●●●●●●●●●●●●●●●●●●●

Exercices
Faites cinq bonnes actions par semaine

Faire cinq actions gentilles chaque semaine (visiter une personne malade, aider une amie avec un de ses enfants, encourager quelqu'un, etc.) augmente clairement son taux de satisfaction face à la vie. En fait, plus vous prendrez l'habitude de faire des actions généreuses, meilleure sera votre humeur.

●●●●●●●●●●●●●●●●●●●●●●●●●●

Faites un don matériel ou spirituel

L'auteur Deepak Chopra propose d'offrir quelque chose, réellement ou en pensée, chaque fois que l'on rencontre quelqu'un. Il n'invite personne à se ruiner, il suggère simplement de garder en tête que chacun aime recevoir ne serait-ce qu'un compliment ou une remarque délicate. Cette attitude est une bonne habitude à prendre.

●●●●●●●●●●●●●●●●●●●●●●●●●●

Observez votre façon
de communiquer avec votre entourage

Faites l'exercice suivant pendant sept jours. Chaque soir, prenez un moment pour revivre mentalement les communications que vous avez vécues avec les gens de votre entourage au cours de la journée. Pensez à toutes les personnes rencontrées ou avec lesquelles vous avez communiqué par téléphone ou par courriel. Demandez-vous:

- Ai-je pris le temps de vérifier comment cette personne se portait? L'ai-je écoutée attentivement?
- Ai-je parlé à mon tour?

- Me suis-je exprimé authentiquement ? L'autre a-t-il pu faire de même ?
- Le contact a-t-il été globalement positif ? Il ne s'agit pas de taire votre point de vue dans une conversation, les discussions ne sont pas à bannir ; demandez-vous seulement si le contact a été enrichissant et respectueux, tant pour votre interlocuteur que pour vous.

Pour chaque rencontre ou conversation, refaites le même tour d'horizon. Si vous remarquez que vous vous énervez dans certaines situations, essayez de voir s'il s'agit toujours du même type de rencontres. Remarquez également si vous réagissez davantage de cette façon quand vous avez faim, quand vous êtes fatigué, ou lorsqu'on vous parle de certains sujets. Retenez aussi qu'on peut communiquer facilement avec les gens qu'on connaît bien, dans certaines situations qu'on connaît bien, mais devenir tendu dans des situations nouvelles ou exceptionnelles. Voyez si vos sources de tensions sont fréquentes ou non.

Plus vous ferez ce type de bilan, plus vous serez en mesure d'améliorer vos rapports et vos échanges avec les autres, car vous ne voudrez pas répéter ce qui ne fonctionne pas. Avec le temps, vous connaîtrez mieux vos défauts et vos qualités en matière de communication.

● ●

Étape 8

Vous êtes l'architecte de votre vie

Soyez responsable

Les gens heureux ont compris qu'ils ont l'entière responsabilité de leur vie. Mais que veut dire le mot « responsabilité » ? Il vient du verbe latin *repondere*, se porter garant, et il est apparenté à *sponsio* qui signifie assumer ses promesses.

Pour le comprendre plus facilement, on pourrait le diviser ainsi : respons/abilité. Quelqu'un de responsable comprend qu'il a l'habileté de trouver les réponses à ses problèmes, il ne met pas la faute sur le dos des autres.

Connaissez-vous des gens qui ont tendance à ne pas se considérer comme responsables de leur propre vie ? Rappelez-vous quand vous étiez enfant. Vous jouiez dans la cuisine, par terre, à côté de votre mère qui faisait à manger, un gâteau par exemple. Tout à coup, elle échappait le grand bol sur le plancher. Avez-vous remarqué ce qu'elle faisait ? Elle vous regardait et vous disait : « Regarde ce que tu m'as fait faire, tu m'énerves ! Va jouer plus loin avec tes jouets ! » Si la vôtre n'agissait pas de cette façon, tant mieux pour vous, mais je suis certain que vous avez connu des gens qui le faisaient. Dans mon cas, la plupart du temps je ne savais même pas qu'elle préparait un gâteau, mais j'étais pourtant responsable si elle le laissait tomber par mégarde.

Nous avons appris très jeunes à mettre la faute sur le dos des autres, souvent en croyant que nous-mêmes nous étions responsables de leurs actions. Ceux qui ont cette habitude, je dis qu'ils sont atteints de « rectifus ». Ce sont des gens dont le nerf de l'œil est connecté au rectum : ils ne voient que le côté emmerdant de la vie ! Savez-vous comment reconnaître un « rectifusien » ? Je vais vous le dire : lorsqu'ils ont une difficulté, ce n'est jamais leur faute, c'est toujours celle de quelque chose ou de quelqu'un d'autre.

Voici l'histoire de quatre individus : Chacun, Quelqu'un, Quiconque et Personne. Un travail important devait être fait et on avait demandé à Chacun de s'en occuper. Chacun était assuré que Quelqu'un allait le faire. Quiconque aurait pu s'en occuper, mais Personne ne l'a fait. Quelqu'un s'est emporté parce qu'il considérait que ce travail était de la responsabilité de Chacun. Chacun croyait que Quiconque pourrait le faire, mais Personne ne s'était rendu compte que Chacun ne le ferait pas. À la fin, Chacun blâmait Quelqu'un du fait que Personne n'avait fait ce que Quiconque aurait dû faire.

Procédez par étapes

Lorsque nous sommes venus au monde, nous n'avions aucune responsabilité. Nos parents étaient 100 % responsables de nous. À 18 ans, nous sommes devenus 100 % responsables de notre vie, de nos actions. Ce n'était pas un choix, la société nous dit que c'est ainsi. Donc, le rôle d'un parent est d'amener son enfant de 0 % à 100 % de responsabilités.

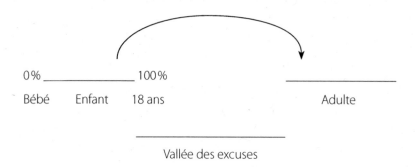

0%_____ 100%   _____

Bébé   Enfant   18 ans   Adulte

Vallée des excuses

Une fois qu'ils ont atteint la pleine responsabilité, les jeunes doivent faire un grand saut pour se retrouver du côté adulte. Mais certains d'entre eux, plutôt que de sauter, se retournent pour rester du côté enfant. Ils essaieront alors de trouver quelqu'un qui prendra toute la responsabilité de leurs problèmes. Ils se diront: «Papa ou maman va continuer de s'occuper de moi. Ce sera ensuite la responsabilité de mon *chum*, de ma blonde, de mon employeur, des gens avec qui je travaille, de mes amis... de tous, sauf de moi-même.

Cela me rappelle la maman d'un adolescent de 14 ans. Il voulait gagner un peu d'argent de poche. Elle lui suggère alors de passer le journal de porte en porte. Le fils accepte. Après quelques semaines, je rencontre la mère et je lui demande comment va notre camelot.

Elle me dit: «Tu sais, ce n'est pas facile à son âge. Il doit se lever très tôt le matin. Parfois, ce n'est pas chaud. Le samedi, le journal est très lourd. Alors, j'ai décidé de le faire moi-même. De toute façon, je suis debout à 5 h le matin.» Son mari, lui, passe de porte en porte, le samedi, pour percevoir les frais d'abonnement. Mais les parents déposent le tout dans le compte du «p'tit» pour qu'il puisse payer le journal:

il faut quand même qu'il soit responsable, c'est ce qu'ils se disent !

Voilà comment ma conjointe exprimait le fait d'amener un enfant à être responsable. Un enfant, c'est comme un entonnoir inversé. Au début, il a 0 % de responsabilités, et plus il avance en âge, plus il doit en prendre, peu à peu, graduellement.

Aujourd'hui, plusieurs parents éduquent leurs enfants comme «dans un tuyau de poêle». Ces derniers n'ont pas appris à prendre leurs responsabilités, car papa et maman ont toujours tout fait à leur place. Eux pensent que lorsque leurs petits auront atteint 18 ans, ils deviendront soudainement responsables ! Mais ils ne les entraînent pas à le devenir lentement. Malheureusement, lorsque ces enfants atteignent l'âge adulte et qu'ils vivent un drame ou une situation problématique, ils se tournent vers les drogues, font des pactes de suicide et en arrivent parfois à vivre carrément en marge de la société.

Il y a plusieurs années, j'ai consulté une psychologue à propos de l'éducation de ma fille. À cette époque, j'étais chef de famille monoparentale. Cette professionnelle m'a fait comprendre que je ne donnais pas à ma petite la possibilité de prendre ses responsabilités, je faisais tout pour elle. Elle pouvait tout laisser traîner, je ramassais derrière elle. Le matin, je lui servais son petit-déjeuner sur un plateau pendant qu'elle regardait la télé. Lorsqu'elle avait terminé, je nettoyais tout. Je croyais être le père parfait. Étant donné qu'elle était handicapée visuelle, je me sentais responsable de sa vie. Dans ma recherche vers un meilleur équilibre, j'ai compris que mon besoin d'être aimé d'elle me menait à prendre ses responsabilités, ce qui était une erreur et ce qui ne l'aidait aucunement. Il a fallu que je change ce comportement et que je la laisse prendre ses responsabilités pour qu'elle devienne une adulte capable de fonctionner dans la vie. Elle ne m'en aimerait pas moins.

Les racines de nos émotions négatives

Plusieurs études ont été menées sur l'irresponsabilité. Les gens irresponsables entretiennent des émotions négatives. Il y en a environ une centaine : l'angoisse, la jalousie, l'envie, la colère, le ressentiment, la culpabilité et plusieurs autres. Vous en trouverez la liste à l'annexe 1.

Imaginons que ces émotions sont les feuilles d'un arbre nourries par deux racines : l'identification et la justification.

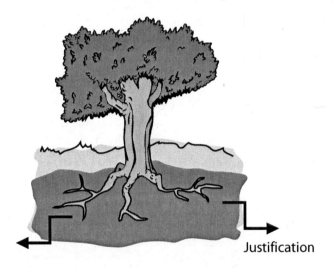

Justification

Identification

L'identification

Les gens qui font de l'identification prennent les problèmes de l'univers entier sur leurs épaules et veulent régler ceux des autres. Mais ils sont toujours déçus et finissent par vivre des émotions négatives : du ressentiment, de la colère, de l'incompréhension.

Je me souviens d'une femme qui avait été laissée par son mari. Ce dernier avait rencontré une personne plus jeune et il en était tombé amoureux. Très en colère, elle disait : « J'ai tout fait pour lui, j'ai toujours été là quand il avait besoin de moi, comment peut-il me faire cela ? » Pourtant, si elle s'était mêlée de ses affaires à elle plutôt que de vivre la vie de son mari et de toujours être là pour lui, peut-être que tout se serait mieux passé dans leur couple.

Souvent, les gens qui s'identifient sont toujours dans les souliers des autres. Deux dans une paire de chaussures, c'est malheureusement trop à l'étroit !

La justification

L'autre racine des émotions négatives est la justification. C'est là que l'on retrouve les « rectifusiens ». Rien n'est jamais de leur faute ! Ce sont ceux qui, à 18 ans, sont tombés dans la vallée des excuses. Ils ont sauté pour rejoindre l'âge adulte, mais pas assez haut. Résultat : ils ne sont pas devenus de vrais adultes.

Dernièrement, je parlais à un homme qui m'expliquait pourquoi il avait tant de difficulté à établir des relations saines avec les autres. Je lui ai alors demandé comment il expliquait cette situation. Il m'a répondu : « C'est à cause de mon père, il ne m'a jamais bercé lorsque j'étais petit. » Bon, je peux comprendre, jusqu'à un certain point, mais cet individu avait 54 ans ! Qu'est-ce que je devais faire ? Le bercer quelques minutes ? Mais après ?

Des gens me disent : « Pierre, si tu savais tout ce que j'ai vécu, tu verrais que ce n'est pas facile. » Peut-être, je ne veux pas juger. Mais ce que je sais, c'est que nous ne sommes pas responsables de ce qui s'est passé lorsque nous étions enfants, mais que nous avons une responsabilité quant à ce que nous ferons de tout cela, aujourd'hui !

Je peux passer ma vie à mettre la faute sur le dos des autres ou à me blâmer de ce qui m'est arrivé, ou je peux prendre la responsabilité de ma vie et en faire ce que je désire. Que choisissez-vous ? Lorsque je traverse un événement, je n'ai qu'à me répéter : «Je suis responsable de ma vie.»

Avez-vous remarqué que lorsqu'ils vivent une expérience positive, la majorité des gens en prennent l'entière responsabilité ! Par contre, lorsqu'un pépin se présente, ce n'est jamais de leur faute. Pourtant, nous sommes responsables de tout ce qui survient dans notre vie, que ce soit heureux ou malheureux.

En prenant la responsabilité de notre propre existence, nous nous assurons d'apprendre des événements que nous vivons. Nos pensées affectent nos résultats, donc nous sommes responsables des résultats, positifs ou négatifs.

Le syndrome «Ce n'est pas de ma faute!»

C'est incroyable le nombre de personnes qui ne sont jamais responsables de ce qui leur arrive ! Dernièrement, alors que je voulais créer une production vidéo, j'ai fait affaire avec une personne qui m'a promis plusieurs rendez-vous mais qui n'en a respecté à peu près aucun. C'était vraiment pénible d'être en contact avec ce type : il subissait toujours un contretemps, il lui arrivait toujours quelque chose qui, évidemment, n'était pas de sa faute. Son ordinateur faisait défaut à cause de quelqu'un, sa caméra avait été mal réparée... Pas une fois il a dit : «Je m'excuse, c'est de ma faute.» C'était toujours les autres qui étaient dans le tort.

Ma conjointe et moi nous sommes posé la question suivante : «Pourquoi avons-nous demandé à cette personne de faire ce travail?» Car, il est inutile de nous le cacher, nous avions une part de responsabilité dans cette histoire. Après tout, c'est nous qui l'avions choisie. Je suis toujours à la recherche de la réponse, mais je suis patient : je sais qu'un jour tout deviendra clair dans mon esprit.

Une amie vivait des événements difficiles dernièrement : perte d'emploi, vol de sa voiture, difficulté avec son conjoint, bref, tout allait mal. Elle m'a dit : «Je ne suis pas responsable du vol de ma voiture, j'étais couchée dans mon lit et je dormais bien dur quand ça s'est produit. Je ne suis pas responsable de la perte de mon emploi, on a aboli mon poste.» Je lui ai rappelé la phrase de ma conjointe : «La vie ne nous envoie pas des messages sur des feuilles 8 ½ × 11. Pourquoi, selon toi, as-tu à vivre cela ?»

> **EN COMPRENANT NOTRE PART DE RESPONSABILITÉ DANS TOUT ÉVÉNEMENT, NOUS NOUS ASSURONS DE NE PAS ATTIRER LES MÊMES ÉVÉNEMENTS PLUS TARD.**

Je suis responsable tant de mon malheur que de mon bonheur. Donc, la seule façon de prendre l'entière responsabilité de ma vie, c'est de couper le tronc de l'arbre des émotions négatives, c'est-à-dire de cesser une fois pour toutes de blâmer les autres pour mes propres problèmes et de cesser de vouloir vivre leur vie à leur place, pour plutôt m'occuper de la mienne.

● ●

Exercice
Arrêtez toute critique

Je vous propose, pendant quatre-vingt-dix jours (oui, oui, vous avez bien lu, trois mois!), d'éliminer toutes les critiques de votre vocabulaire à l'égard, par exemple, de votre conjoint, de vos parents, de vos enfants, de votre patron, de vos employés, de vos voisins et de vos beaux-parents. Chaque soir, faites le bilan de votre journée, pensez à ce que vous avez dit aux gens de votre entourage : avez-vous mis la faute sur l'autre concernant une situation qui s'est produite dans votre vie?

En passant, n'oubliez pas que ces journées doivent être consécutives. Si vous critiquez quelqu'un, il faut recommencer au premier jour. Personnellement, je fais cet exercice depuis plusieurs années et je n'ai pas encore réussi à m'abstenir de critiquer pendant toute cette durée, mais je m'améliore chaque fois. Le but n'est pas d'être parfait, mais de faire mieux et de reconnaître sa progression.

● ●

Voici quelques questions qu'on m'a posées : «Est-ce que je peux commencer demain? J'en aurais beaucoup à dire contre un tel aujourd'hui.»; «Pierre, ça ne peut pas fonctionner : si je ne peux pas dire à ma femme ce qu'elle fait qui me déplaît, comment pourra-t-elle savoir ce que je ressens?»; «Ça ne peut pas marcher, s'il m'est impossible de dire à mes enfants ce qu'ils font de mal, comment vont-ils s'améliorer?».

Dites à vos enfants ce qu'ils font de correct, ce qu'ils réussissent, et vous aurez la chance d'observer à quelle vitesse ils sont capables d'apprendre et de grandir. Pourquoi ne pas appliquer à vos proches adultes la même recette? En soulignant ce que vous aimez plutôt qu'en critiquant, vous verrez que l'ambiance s'améliorera pas mal!

Travaillez sur vous-même

Cela me rappelle une femme qui avait des problèmes avec son fils adolescent : ils étaient incapables de se parler. Dès qu'une conversation commençait, la guerre s'ouvrait. Elle a consulté un psychologue. Un jour, il lui a suggéré de faire un exercice quotidien : « Chaque soir, dit-il, prenez le temps de vous asseoir quelques minutes et écrivez sur une feuille, que vous conserverez précieusement, une des qualités de votre adolescent. Faites cela pendant trente jours, puis revenez me voir. »

Le premier soir, elle s'est sentie incapable de lui trouver la moindre qualité. Mais elle a persévéré et finalement, chaque jour suivant, elle en a découvert une. À la fin du mois, elle a rencontré le psychologue, munie de sa liste. Il lui a alors conseillé de continuer l'exercice de la façon suivante : chaque soir, pendant la même durée, elle devait noter à côté de chaque qualité qu'elle avait nommée la raison pour laquelle elle l'avait retenue.

Son fils n'a jamais entendu parler du psychologue, pourtant la relation entre lui et sa mère s'est complètement métamorphosée. Pourquoi ? Parce qu'elle a simplement été capable de reconnaître les forces de son fils.

● ● ● ● ● ● ● ● ● ● ● ● ● ● ● ● ●

Exercice
Les qualités de votre ennemi

Si vous n'avez pas d'enfant, vous pouvez quand même faire cet exercice. Pensez simplement à quelqu'un avec qui vous avez de la difficulté à vivre une bonne relation. Je ne connais pas cette personne, mais vous, vous savez de qui je parle, quelqu'un de précis vous est venu en tête immédiatement. Vous savez, cet individu que vous trouvez détestable, égoïste, paresseux...

Ensuite, chaque jour, pendant une semaine, écrivez une de ses qualités. Quand vous aurez terminé votre liste, demandez-vous ce qui vous fait dire que cette personne possède ces qualités. Je vous jure que votre relation changera rapidement.

Retenez cela, et toute votre vie sera transformée :

> **ON NE PEUT PAS CHANGER LES AUTRES,**
> **MAIS ON PEUT CHANGER SON ATTITUDE À LEUR ÉGARD.**

• • • • • • • • • • • • • • • • • • • •

Dites ce qui va bien

J'ai entendu l'histoire suivante, il y a quelques années, à propos d'un directeur des ventes d'une grande entreprise qui était en congrès dans l'État de la Floride.

Un jour de congé, il décide d'aller voir le spectacle des orques offert non loin de l'hôtel où il loge. Arrivé sur place, il s'assied dans les estrades, attendant que la séance commence. L'endroit est bondé.

Puis les lumières s'éteignent. Durant la prestation, l'entraîneur fait faire toutes sortes de scénettes aux animaux : ils sautent hors de l'eau, nagent sur le dos... Il y a même un numéro où l'homme se trouve debout sur le mammifère, qui lui fait faire le tour de la piscine.

On entend des oh !, des ah !, des wow ! Tous les spectateurs sont stupéfaits, notre congressiste également. Pendant qu'il regarde attentivement ce qui se passe, il se dit en lui-même : « Je me demande comment il procède pour que les orques fassent toutes ces pirouettes, alors que moi, je n'arrive même pas à motiver mes vendeurs.»

À la fin du spectacle, au lieu de se diriger vers la sortie, il reste bien assis sur son siège, pendant de longues minutes : il réfléchit. Puis un homme revient vers la piscine pour nourrir les orques et, voyant notre directeur des ventes encore assis, va vers lui pour lui demander si tout va bien. Ce dernier lui fait alors part de son questionnement : comment est-il possible qu'il soit si difficile de stimuler des humains, alors qu'on y arrive avec des animaux ? L'homme lui propose alors de rencontrer l'entraîneur.

Il accepte avec empressement, croyant dur comme fer qu'il va enfin avoir la réponse à sa question. L'entraîneur lui parle du principe de la reconnaissance. «Lors du premier entraînement, dit-il, on fait faire à l'orque le tour de la piscine pendant un bon bout de temps afin qu'il s'habitue à son environnement. Ensuite, on place une corde au fond, assez basse pour l'encourager à ne pas passer en dessous mais plutôt au-dessus. On continue de l'encourager à faire des tours de piscine. Chaque fois qu'il passe au-dessus de la corde, on lui donne un poisson : son repas préféré. S'il nage sous la corde, il ne reçoit rien du tout. Après un certain nombre de tours, on monte un peu la corde et on recommence le manège. L'orque comprend vite qu'en passant par-dessus la corde il obtient une récompense et que sinon il n'a rien. Puis on monte régulièrement la corde, jusqu'à ce qu'il saute hors de l'eau.»

Ce qu'il faut comprendre de tout cela, c'est que l'entraîneur souligne chaque progression ; il n'attend pas que l'orque soit parfait, il reconnaît chaque étape de sa démarche.

Le directeur demande alors : «Mais si le mammifère ne passe pas au-dessus de la corde, vous arrive-t-il de le frapper avec un bâton ou de le punir d'une façon ou d'une autre?» L'entraîneur lui explique alors qu'étant donné que l'animal pèse entre quatre et cinq tonnes et qu'il a de bonnes dents personne n'a vraiment intérêt à le frapper!

Notre directeur des ventes a rapidement compris ce qu'il avait à tirer de cette leçon de vie.

Quand j'ai entendu cette histoire, je me suis demandé: «Ai-je fait cela avec ma fille? Ai-je pris le temps de reconnaître sa progression, ou ai-je attendu que tout soit parfait avant de la féliciter pour chaque apprentissage? Lorsqu'elle me présentait son bulletin scolaire, est-ce que je prenais le temps de souligner les matières où il y avait amélioration, ou est-ce que je lui faisais remarquer seulement les mauvaises notes?»

En reconnaissant notre progression et celle des autres, on est beaucoup moins tenté de critiquer. On découvre nos forces, celles des autres, les améliorations de chacun, et c'est comme ça qu'on devient responsable.

Quelques questions à vous poser

- Comment vais-je m'y prendre pour devenir à 100 % responsable de ma vie?

- Comment est-ce que je procède pour enseigner aux autres (à mes enfants, par exemple) le sens des responsabilités?

- Est-ce que je reconnais mes forces?

- Est-ce que je souligne mes apprentissages en me félicitant?

- Est-ce que je reconnais les efforts des gens qui m'entourent et est-ce que je prends le temps de leur souligner que je remarque ces efforts?

- Est-ce que j'ai tendance à penser que les autres sont responsables de mes problèmes?

- Est-ce que j'accepte que les autres me tiennent responsable de leurs erreurs?

- Quelles sont les qualités de la personne avec laquelle j'ai le plus de difficulté à m'entendre dans mon entourage?

Ici et maintenant

Une des choses que les gens heureux sont capables de faire, c'est de vivre ici et maintenant. Par exemple, certains parmi vous doivent relire le même paragraphe à plusieurs reprises, car leurs pensées voyagent... un peu trop ! Vous pensez à ce que vous devez faire dans quelques heures, à ce que vous avez fait hier, ou encore à une personne qui vous préoccupe. Dans ces moments-là, on peut affirmer que vous avez de la difficulté à vivre le moment présent.

Il y a quelques années, j'avais beaucoup de mal avec ce principe. Je n'étais jamais là où j'étais. Quand je me trouvais avec ma conjointe, je pensais à mon travail ; au travail, je pensais à ma fille ; quand j'étais avec elle, je pensais à mes amis, et en leur présence, je pensais à partir en vacances. Après quelques jours de vacances, je pensais au travail... Et cette roue tournait sans cesse. J'avais le sentiment de n'être jamais à la bonne place au bon moment. Je me disais : «J'ai l'impression de passer à côté de ma vie.» Il était évident que j'étais incapable de vivre le moment présent.

> **Hier est terminé, demain n'est pas encore arrivé, aujourd'hui est un cadeau : c'est pour cela qu'on l'appelle le moment « présent ».**

Cessez d'anticiper le pire

Vivre le moment présent, c'est aussi être capable d'arrêter notre petite machine intérieure qui cherche toujours à anticiper le futur.

Cela me rappelle cet épisode de la vie d'un ami qui souhaitait faire des rénovations à sa maison, mais qui les remettait toujours à plus tard. Le voyant un peu nerveux, je lui ai demandé comment il se sentait face à son projet : « Pierre, tu me connais, je ne suis pas un manuel. Je ne suis pas très habile avec les outils, il est évident que je vais me blesser. Si je me blesse, je ne pourrai pas aller travailler. Si je ne vais pas travailler, étant donné que je suis travailleur autonome, je vais perdre mes contrats. Je ne serai pas capable de payer mon hypothèque, donc je vais vendre ma maison. Penses-tu que ma femme va vouloir vivre dans un petit logement ? Absolument pas ! Elle va donc demander le divorce et je vais me retrouver sans un sou, sans travail, divorcé, dans un logis minable. Finalement, je ne crois pas que ce soit une bonne idée d'entreprendre toutes ces rénovations. »

C'est quand même incroyable : il n'avait pas encore acheté un clou et il se voyait déjà dans une situation catastrophique ! L'incapacité de vivre le moment présent fait naître beaucoup d'anxiété, de peur et un sentiment d'insécurité. Je vois souvent des vendeurs qui, lorsqu'ils reçoivent leurs objectifs de ventes, en début d'année, sont stressés à l'idée qu'ils ne pourront pas les atteindre.

Quand quelqu'un me décrit les peurs et les épisodes d'anxiété qu'il vit, je lui demande : «Ce que tu me racontes fait-il partie de ton ici et maintenant?» La réponse est généralement : «Non, mais si cela continue, je sens bien que je vais me retrouver en difficulté.»

Dernièrement, un homme m'a avoué : «J'ai peur de ne pas être capable de payer mon loyer, à la fin du mois.» Je lui ai dit : «Mais nous sommes le 2! Fais ce que tu dois faire aujourd'hui et tous les jours suivants. Ensuite, fais confiance à la vie, tu pourras payer tes comptes le moment venu.» Ses peurs ne font pas partie de son ici et maintenant. S'il se concentre sur le présent, le trentième jour sera bien différent de ce qu'il anticipait. Quand il parle comme ça, il vit un mois en avance. Il ne peut pas agir sur le futur, il peut juste intervenir sur son aujourd'hui.

Une bonne façon de vivre dans le moment présent est d'arrêter notre pensée sur quelque chose qui se passe ici et maintenant : quelqu'un qui passe dans la rue, un feu de circulation, une musique qui joue, un paysage magnifique, etc. Prenez aussi le temps de dire merci pour tout ce que vous vivez, cela vous permettra de vous offrir quelques minutes d'arrêt dans votre existence. En étant dans la gratitude face au présent, vous serez capable de faire cesser la spirale de vos pensées, qui essaie toujours de vous emmener dans le passé et dans le futur.

● ● ● ● ● ● ● ● ● ● ● ● ● ● ● ● ● ● ● ●

Exercice
Le pire qui pourrait vous arriver

Lorsque vous vivez de l'anxiété à propos du futur, que cela concerne votre travail, votre famille, vos amours, votre argent ou tout autre sujet, demandez-vous : « Est-ce que ce dont j'ai peur fait partie de mon ici et maintenant ? » Si la réponse est non, retrouvez le présent et passez à l'action à partir de ce qui vous arrive aujourd'hui dans votre vie.

Ensuite, peu importe la réponse, utilisez la technique suivante pour éliminer vos craintes. Posez-vous la question : « Quel est le pire qui pourrait m'arriver ? » Par exemple, si vous avez l'intention d'investir de l'argent à la Bourse et que cela vous inquiète, la pire chose qui pourrait vous arriver serait de tout perdre. Si vous désirez apporter un changement important dans votre travail, le pire qui pourrait vous arriver serait de perdre votre travail. Vous constaterez rapidement que votre anxiété diminue seulement en nommant ce qui pourrait survenir de pire. Immédiatement, vous dédramatiserez.

L'étape suivante consiste à vous demander : « Est-ce que je pourrais en mourir ? » C'est la peur la plus importante chez les êtres humains. Pas très loin derrière, il y a celle de parler en public, et j'exagère à peine. Chez certains, cette peur est même plus grande que celle de perdre la vie, puisqu'ils disent : « J'aimerais mieux mourir que de parler en public. » Alors, si vous perdez votre emploi, allez-vous en mourir ? Absolument pas. Si vous êtes dépossédé de tout votre avoir, allez-vous en mourir ? Mais non, vous allez peut-être avoir faim, mais vous n'en mourrez pas.

Finalement, posez-vous cette dernière question : « Si le pire survient, qu'est-ce que je ferai ? » Vous allez agir pour éviter que cela arrive. Donc, vous allez vivre dans le présent et vous mettre sur le mode agir. Ensuite, vous passerez à la technique des 20 solutions dont je vous parlerai plus loin.

● ● ● ● ● ● ● ● ● ● ● ● ● ● ● ● ● ● ● ●

L'exemple du baromètre

Un jour, un professeur propose à sa classe le problème suivant : «Vous avez un baromètre et vous souhaitez connaître la hauteur d'une bâtisse, comment ferez-vous ? »

Un étudiant lève la main : «Je vais utiliser le baromètre pour prendre la pression au sol. Ensuite, je vais monter tout en haut de la bâtisse et prendre une deuxième lecture. Sachant que, à cause de l'attraction terrestre, plus on monte, moins il y a de pression, je vais comparer les deux relevés. En tenant compte de la pression atmosphérique, du niveau de la mer et de l'attraction terrestre, je serai en mesure de vous donner la hauteur exacte de la bâtisse. »

Très satisfait de la réponse, le professeur félicite l'étudiant. Un autre lève sa main et dit : «J'ai une autre solution.

— Laquelle ? demande son enseignant.

— Je vais mesurer le baromètre et lui faire longer le mur jusqu'en haut de la bâtisse. Je serai ainsi en mesure de vous dire sa hauteur. »

Un autre étudiant demande la parole : «J'ai une autre solution. Je vais peser le baromètre, me rendre en haut de la bâtisse et le laisser tomber. Puis je calculerai le temps qu'il met à arriver au sol. En considérant le poids et le temps de la chute, je serai en mesure de vous donner la hauteur de la bâtisse. »

Enfin, un dernier étudiant se manifeste : «Je vais entrer à l'intérieur de la bâtisse, allez voir le concierge et lui faire cette proposition : "Si vous pouvez me donner la hauteur de la bâtisse, je vous donne mon baromètre."»

Ce n'est peut-être pas très scientifique, mais c'est une façon efficace de trouver la réponse. Un étudiant qui termine l'université a passé en moyenne 2600 tests et examens. Cela fait autant de fois qu'on lui dit qu'à tout problème il y a une solution. Mais ce n'est pas vrai :

> **À TOUT PROBLÈME, IL Y A PLUSIEURS SOLUTIONS.**

La technique des 20 solutions

Un jour, ma fille revient de l'école en me disant qu'elle a un problème : une jeune fille de sa classe veut la battre. Je lui demande :

« Est-ce que cela fait partie de ta réalité ?

— Oui, puisque tout est prévu, la bataille doit avoir lieu lundi !

— Donc, lui dis-je, tu as effectivement un problème.

— Peux-tu téléphoner aux parents de la fille pour le régler ?

— Anne, je lui explique, c'est ton problème, mais je vais t'aider à le solutionner. On va utiliser la technique des 20 solutions. »

Je lui ai demandé d'aller chercher un crayon et une feuille de papier, puis d'écrire son problème sous forme de question. Elle l'a formulée de la façon suivante : « Quels sont les moyens pour établir une bonne relation avec X ? »

Après cette première étape, je lui alors proposé d'écrire vingt solutions. Sa première réaction a été de répliquer qu'il n'y avait pas de solutions, que la jeune fille voulait simplement la battre, qu'il n'y avait rien à faire. J'ai insisté et je lui ai expliqué que je la laisserais réfléchir et que je reviendrais la voir dans quelques minutes.

À mon retour, j'ai lu ses deux propositions : 1. Lui parler ; 2. Lui demander pourquoi elle veut me frapper. C'était un excellent départ, mais il y avait sûrement d'autres possibilités. Elle en a trouvé une autre : 3. Ne plus aller à l'école. «Bonne idée, ai-je dit. On peut l'écrire.» Elle a fait une mimique un peu sceptique.

«On ne fait que trouver vingt solutions, pour le moment. Ensuite?

— Je pourrais frapper la première.

— Ce n'est pas bête. Ensuite?

— Je pourrais l'ignorer.

— C'est bon, ça! Ensuite?

— Je pourrais lui écrire une lettre.

— Excellent! Et ensuite?

— Je pourrais lui téléphoner.

— Super!» ai-je dit.

Finalement, elle a trouvé toutes les solutions. Nous sommes donc passés à la troisième étape : les classer en ordre. Nous les avons donc reprises une à une et nous avons évalué leur faisabilité. Par exemple, ne plus aller à l'école n'était pas réaliste. Anne elle-même trouvait qu'elle était trop jeune pour arrêter les classes. Frapper la première n'était pas une bonne idée non plus : l'autre voudrait sa revanche et ça ne finirait jamais. Une fois l'ordre établi, nous avons gardé la première solution, celle qui nous semblait la plus logique : elle allait téléphoner à la jeune fille et lui dire qu'elle voulait la rencontrer pour parler.

Quatrième étape : agir. Cela n'a pas été facile. Après quelques minutes d'hésitation, elle a décroché l'appareil. Lorsque l'autre a répondu, elle a dit : « Ne viens pas m'écœurer chez moi », puis elle lui a raccroché la ligne au nez. Découragée, ma petite m'a regardé : « Qu'est-ce que je fais, maintenant ? » Je lui ai demandé de ressortir la feuille et de regarder quelle était notre deuxième solution : l'ignorer. « Donc, ai-je dit, quand tu monteras dans l'autobus lundi matin, tu ne lui parles pas, tu ne la nargues pas, tu ne la regardes pas : tu l'ignores totalement. »

Eh bien, je ne sais pas ce qui s'est passé dans la tête de sa rivale, mais nous n'avons jamais plus entendu parler de ce problème par la suite. Cette expérience a démontré à ma fille que lorsque nous vivons un problème, il existe plusieurs solutions.

Utilisez cette technique, elle vous permettra de solutionner les problèmes au lieu d'en parler continuellement. Les gens heureux ne stagnent pas dans les problèmes, ils pensent plutôt à trouver des solutions.

● ● ● ● ● ● ● ● ● ● ● ● ● ● ● ● ● ● ●

Exercice
Trouvez vingt solutions

- Écrivez votre problème sous forme de question. Si, par exemple, vous avez peur de perdre votre emploi, elle pourrait prendre la forme suivante : « Comment faire pour effectuer tous ces changements tout en conservant mon emploi ? »
- Formulez vingt solutions et notez-les.

- Lisez et relisez-les bien. Prenez le temps d'y penser, d'y rêver, d'en parler aussi, si c'est possible. Ensuite, classez-les en ordre, de la plus réalisable à la moins réalisable.

- Ensuite, agissez en fonction de la première solution. Si ça ne marche pas, essayez la deuxième.

● ● ● ● ● ● ● ● ● ● ● ● ● ● ● ● ● ● ●

Conclusion

Avez-vous déjà remarqué que plusieurs personnes suivent des cours de développement personnel ou vont en thérapie pour améliorer leur vie, et qu'une fois ces séances terminées, elles reprennent leurs vieilles habitudes? Rien n'a changé!

Il n'est pas toujours facile de changer, de s'améliorer. Mais êtes-vous prêt à passer à l'action? Êtes-vous décidé à faire tout ce qu'il faut pour y arriver? Une phrase dit: le plus beau voyage est celui que l'on fait à l'intérieur de soi. Mais c'est aussi un voyage effrayant, il faut bien le dire.

La peur est un facteur qui nous empêche de passer à l'action. Mais que veut dire ce mot? D'abord, il y a le P pour perception, puis le E pour erronée, ensuite le U pour utopique et, finalement, le R pour réalité. La peur est donc une perception erronée et utopique de la réalité; 93 % de nos peurs sont imaginaires.

Voici l'histoire d'un vendeur. Il est sur la route en pleine tempête de neige, sa journée est terminée. Il arrive dans un village où il s'arrête au premier hôtel, mais aucune chambre n'est disponible. Il se dirige vers le deuxième établissement de l'endroit: même chose. Au troisième hôtel, c'est également complet. Bref, il n'y a aucune chambre libre dans tout le village.

Il revient donc au premier hôtel et dit au commis, à l'accueil : « Vous devez me trouver quelque chose. Je suis complètement épuisé et j'ai besoin d'une bonne nuit de sommeil. » L'homme lui répond : « Écoutez, nous avons une pièce à l'étage que nous gardons comme chambre à débarras. Je me sens mal à l'aise de vous l'offrir, c'est tout ce que nous avons de libre. »

Le client demande à la voir : c'est effectivement une très petite pièce. Tellement que lorsqu'ils installent le matelas, il va d'un mur à l'autre. Mais le vendeur affirme que c'est parfait : « Au moins, je passerai une bonne nuit de sommeil. » Et le commis quitte la pièce.

Le client éteint la lumière et se couche. Mais il est incapable de dormir, car il souffre de claustrophobie. La peur, l'angoisse, l'anxiété l'envahissent. Il se lève et se met à la recherche d'une fenêtre ou d'une autre ouverture, mais il n'y en a aucune. Il se dit : « Je suis un adulte et je suis complètement épuisé ; je suis certain que je peux dormir, même s'il n'y a pas de fenêtre. » Il se recouche.

Toujours incapable de fermer l'œil, il se lève à nouveau, mais il décide de ne pas allumer la lumière pour ne pas se réveiller davantage. Avec ses mains, dans la noirceur la plus complète, il tâtonne, à la recherche d'une ouverture.

Finalement, il touche une porte qui, une fois ouverte, semble être une garde-robe. Toujours dans l'obscurité, il touche ce qui semble être une fenêtre, à l'intérieur du placard. Il pense : « Je vais l'ouvrir et je vais pouvoir dormir. » Mais il est incapable de l'ouvrir. Il se dit donc : « Je suis un adulte et je suis exténué ; maintenant que je sais qu'il y a une fenêtre, je suis certain que je peux dormir. »

Il se retourne et tente de s'endormir, mais c'est impossible. La peur, l'angoisse, l'anxiété l'envahissent encore. Il se lève une nouvelle fois, prend son oreiller et se rend dans la garde-robe. Avec son coude, qu'il protège avec l'oreiller, il brise la vitre et se dit: «Je vais pouvoir dormir et je réglerai la note demain matin.»

Le matin venu, en se levant, il constate les dommages qu'il a faits: le verre brisé est répandu sur le sol. Lorsqu'il regarde par la fenêtre, il s'aperçoit que l'extérieur de la bâtisse a été rénové et qu'on a briqueté la fenêtre. C'est à ce moment que notre homme comprend qu'en la brisant la réalité n'a pas changé; ce qui a changé, c'était ses pensées.

Ne laissons pas nos peurs contrôler notre vie, car en fait de quoi avons-nous vraiment peur? De l'inconnu? Je crois que nous craignons surtout de perdre ce que nous possédons déjà. Sortir de notre boîte, de notre zone de confort, prendre l'engagement que tous les jours nous allons poser une action qui nous permettra d'atteindre la paix intérieure: voilà le meilleur chemin.

***

Un professeur pose à ses étudiants une question assez simple: «Quelqu'un peut-il m'expliquer la différence entre s'impliquer et s'engager?»

Un jeune homme se lève et dit: «Monsieur, ce matin, j'ai mangé deux œufs et du bacon. On peut dire que la poule s'est impliquée dans mon déjeuner, mais le cochon, lui, s'est vraiment engagé dans mon repas. Le boucher n'a pas simplement prélevé deux tranches de viande sur le dos de l'animal pour ensuite le laisser reprendre ses activités dans la porcherie, non: le cochon s'est engagé à 100 % dans mon déjeuner.»

Êtes-vous prêt à vous engager à 100 % envers vous-même et à découvrir la personne exceptionnelle que vous êtes?

En étant ouverts d'esprit, en acceptant de sortir de notre zone de confort, en adoptant une attitude positive, en changeant nos pensées négatives en pensées positives, en améliorant notre image de soi, en ayant un désir profond de changer, en disant merci tous les jours, en nous tournant vers les autres, en prenant 100 % de la responsabilité face à notre vie, en comprenant qu'elle se vit ici et maintenant et en passant à l'action chaque jour, je suis convaincu que nous serons tous en mesure de faire partie des gens heureux.

C'est ce que je vous souhaite à tous et à toutes.

Remerciements

Je tiens à remercier ma conjointe pour sa patience pendant tout le temps que j'ai pris à écrire ce livre. Je dis également merci à nos filles : Anne, Marie-Ève et Isabelle, des personnes exceptionnelles. Merci également à mes petits-enfants : Arielle, Enzo, Élianne et Sofia, pour tout ce qu'ils m'ont appris sur la vie.

Merci à mon père et à ma mère pour les valeurs qu'ils m'ont inculquées et qui m'ont permis de devenir qui je suis aujourd'hui. Merci à mes frères et sœurs de former une famille aussi unie. Merci à tous mes amis qui m'ont inspiré et qui m'inspirent encore à devenir une meilleure personne. Et finalement, merci à tous ceux que, de près ou de loin, j'ai eu la chance de côtoyer durant toutes ces années. Chacun de vous m'a aidé à améliorer la personne que je suis et à atteindre une certaine sérénité.

Pour joindre l'auteur

Si vous voulez partager avec moi des histoires, des expériences positives ou négatives, faites-le en m'écrivant à l'adresse électronique suivante : pierre@pierremontpetit.com. Ce sera un plaisir de vous lire.

Si vous désirez recevoir une pensée positive au début de chaque semaine, rendez-vous sur mon site www.pierremontpetit.com et inscrivez-vous. C'est gratuit.

Bon succès !

Annexe 1
Liste des émotions positives et négatives

Émotions positives

Admiration
Affection
Allégresse
Amitié
Amour
Amusant
Ardeur
Audace
Bonté
Bravoure
Chaleur
Charme
Compassion
Compétence
Contentement
Convoitise
Courage

Curiosité
Délectation
Désir
Détermination
Enchantement
Engouement
Entrain
Euphorie
Excitation
Extase
Ferveur
Fierté
Gaieté
Heureux
Humour
Intrigue
Joie

Jouissance
Jovial
Jubilation
Optimiste
Passion
Plaisir
Prudence
Satisfaction
Séduction
Sensation
Soulagement
Stupéfaction
Surprise
Sympathie
Tendresse
Triomphe

Émotions négatives

Abandon
Accablement
Agitation
Agonie
Agressivité
Ahurissement
Amertume
Anxiété
Appréhension
Aversion
Bougon
Cafard
Chagrin
Colère
Courroux
Crainte
Cruauté
Culpabilité
Découragement
Défaite
Dégoût
Déplaisir
Dépression
Désappointement
Désarroi
Désespoir
Destruction
Détresse
Domination
Douleur
Égarement
Effroi
Embarras

Ennui
Épuisement
Étonnement
Exaspération
Feinte
Férocité
Fragilité
Frustration
Furie
Haine
Honte
Horreur
Humiliation
Hystérie
Impatience
Impuissance
Indifférence
Inquiétude
Insatisfaction
Insécurité
Insulte
Intimidation
Invalidation
Irrémédiable
Irritation
Jalousie
Malheur
Maussade
Mécontentement
Méfiance
Mélancolie
Mépris
Misère

Mortification
Négligence
Nervosité
Outrage
Panique
Pénitence
Pitié
Pudeur
Rage
Rancune
Regret
Rejet
Remords
Répugnance
Réserve
Ressentiment
Réticence
Révulsion
Saute d'humeur
Secousse
Seul
Solitude
Souci
Souffrance
Soumission
Sursaut
Suspicion
Tension
Terreur
Timidité
Tourment
Tristesse
Vengeance

Annexe 2
Exemple de pensées

	Émotion	Positive (P) Négative (N)
J'espère avoir assez d'argent à la fin du mois.	Anxiété	N
Je crains d'être malade.	Désespoir	N
Vais-je avoir assez de temps pour faire tout le travail que j'ai à faire aujourd'hui ?	Inquiétude	N
Je suppose que je vais être encore pris dans la circulation !	Stress	N
Comment se fait-il que je me retrouve encore dans cette même situation négative ?	Désarroi	N
J'espère que mon patron ne me tombera pas sur le dos aujourd'hui !	Tension	N
Je ne veux pas être en retard à mon rendez-vous !	Souci	N
J'espère ne pas avoir trop de difficulté lors de cette rencontre !	Appréhension	N
J'ai peur de mourir, d'être malade, de perdre quelque chose ou quelqu'un.	Stress	N

Je veux atteindre mes objectifs.	Espoir	P
Quel est mon plan pour la journée?	Entrain	P
Je vais vivre quelque chose d'extraordinaire aujourd'hui!	Euphorie	P
Je n'aime pas l'attitude de telle personne.	Ressentiment	N
Merci à l'univers pour la belle journée que je vais passer.	Enthousiasme	P
Je ne sais pas si mon conjoint m'aime encore...	Mélancolie	N
Pourquoi est-ce que je ne me trouve pas de travail?	Embarras	N
Pourquoi ai-je si mal à la poitrine?	Insécurité	N
La vie est très bonne pour moi.	Joie	P

Table des matières